Un grand week-end
à Paris

Un grand week-end
à Paris

« Paris ? Vous allez à Paris ?... » Il y a dans le regard de ceux qui posent la question un désir, une nostalgie. Il faut dire que peu de villes au monde savent autant nous séduire. À chaque coin de rue un artiste est né, un écrivain a vécu. C'est à Paris que s'est écrite l'histoire du pays tout entier et il n'y a guère de monument auquel ne soit rattaché un souvenir national. La décentralisation n'y fait rien, c'est encore à Paris que s'élabore la politique du pays, que se prennent les décisions ; c'est de Paris que rayonnent l'information, les idées, la mode et ses caprices.

Chaque promenade dans la Ville lumière est prétexte à traverser des quartiers qu'on vient voir des quatre coins du monde, par chartes entiers, et qui s'offrent à qui sait les regarder. Les rues se succèdent, majestueuses ou secrètes : partout, le passé a laissé des merveilles, fastueux décors d'une époque où l'on cultivait

le goût avec un sens inné du chef-d'œuvre, humble ou monumental. À Paris, il faut jouer les curieux, lever le nez. Au coin d'une rue, admirer la tourelle d'angle d'un hôtel Renaissance ; suivre les arabesques d'un balcon rocaille ou les volutes d'une

fenêtre Art nouveau ; s'arrêter aux vitrines des magasins et pousser la porte des boutiques de charme. Prendre le temps de regarder frémir, sur les pierres de l'île Saint-Louis, la lumière reflétée par la Seine et s'arrêter devant un relief que le soleil souligne, en dévoilant sa douceur ou sa force, puis, soudain, se laisser prendre par un rire à la terrasse d'un café. C'est que la ville n'est pas un décor

inanimé, ses paysages servent de toile de fond aux Parisiens pressés et stressés qui trouvent pourtant le temps de cultiver l'art de vivre de jour comme de nuit. Les restaurants, gastronomiques ou non, les brasseries, les terrasses des bistrots et les bars sont leurs étapes favorites, du premier petit noir au dernier verre Laboratoire national de l'innovation, Paris produit, inspire et alimente un immense marché de l'art, de la mode et de la décoration où les créations se succèdent. Architectes, décorateurs, designers ou stylistes rivalisent d'imagination pour donner aux showrooms, aux galeries et aux boutiques raffinement et originalité. Le spectacle se poursuit au-delà des vitrines : entrez sans hésitation,

l'intérieur tient toujours ses promesses. Qu'on ait envie d'une paire de chaussures, d'un objet, d'un sac, d'une écharpe, d'un coupon de tissu, ou qu'on désire simplement respirer un peu de cet air de Paris, sans rien acheter. Qu'on soit luxe ou provoc, classique ou tout le contraire, il suffit de chercher, au hasard, guidé par l'air du temps, les rumeurs de la mode, l'humeur du moment. Laissez-vous porter par la ville et les courants qui l'animent. « Vous allez à Paris ?… Vous avez de la chance… » Qui a dit : « Paris sera toujours Paris » ?

Partir à Paris

En avion

Deux aéroports desservent la capitale : Orly (15 km au sud de Paris) et Roissy – Charles-de-Gaulle (30 km au nord de la ville). Si la plupart des vols internationaux arrivent à Roissy, les vols nationaux atterrissent indifféremment à Orly ou Roissy selon les compagnies et les horaires. Vous pourrez consulter le site www.adp.fr pour plus de renseignements. Parmi les compagnies aériennes assurant des liaisons avec les capitales européennes et les principales villes françaises :
Air France, agence Maillot 2, pl. de la Porte-Maillot, 75017, ☎ 0820 820 820 www.airfrance.fr
United Airlines, aéroport Charles-de-Gaulle, terminal 1, porte 24, ☎ 0810 72 72 72, www.united.fr
Delta Airlines, aéroport Charles-de-Gaulle, terminal 2E, ☎ 0811 640 005, www.delta.com
Easy Jet
☎ 0826 10 26 11, www.easyjet.com

De Roissy à Paris

Le **RER B** (Roissy-Rail) (informations SNCF ☎ 08 91 36 20 20). Il circule de 5h à minuit, et passe toutes les 4 à 15 min. Il vous faudra compter 35 min environ jusqu'à la gare du Nord. Le tarif s'élève à 8 €.

Le **Roissybus** (informations RATP : ☎ 08 92 68 77 14). Il circule de 6h à 23h, toutes les 15 min (20 min après 19h). Le tarif s'élève à 8,40 €, et il faut compter environ 50 min de trajet jusqu'à la place de l'Opéra (seul arrêt, rue Scribe). Les **cars Air France** partent de 5h50 à 23h toutes les 15 min. La ligne 2 rejoint la place de l'Étoile et la porte Maillot (tarif 10 €). La ligne 4 dessert la gare de Lyon et la

TRANSPORT ET SÉJOUR À PRIX RÉDUIT

La SNCF, les autocaristes, les compagnies aériennes et de nombreux voyagistes proposent des formules transport et hébergement. Celles-ci sont souvent plus avantageuses que si vous vous débrouillez tout seul. À budget identique, vous aurez parfois, par exemple, une meilleure catégorie d'hôtel. Le revers de la médaille : le choix des établissements est moins étendu, et ces derniers sont parfois un peu impersonnels, habitués qu'ils sont à recevoir une clientèle de groupes. Si vous achetez un forfait avion + hôtel, le transfert de l'aéroport à l'hôtel sera souvent compris dans le prix : une économie non négligeable si vous voyagez en famille. Au départ de nombreuses villes de province, des vols à prix réduit sont souvent proposés par les voyagistes qui ont des lots de places sur des vols réguliers. Renseignez-vous dans votre agence de voyages.

gare Montparnasse (tarif : 11,50 €). (Informations : ☎ 0892 35 08 20 ou www.cars-airfrance.com)
Les bus RATP : le 351 circule de 7h à 21h30 et part toutes les 30 min pour la place de la Nation – 1h15 de trajet. Le 350 circule de 6h05 à 21h30 et part toutes les 20 min pour la gare du Nord et la gare de l'Est – 1h15 de trajet. Tarif : 5,20 €.
Les Noctiliens (Informations ☎ 08 91 36 20 20) circulent de nuit. Les lignes N 120 et N 121, de minuit à 4h30 du matin avec une fréquence de 30 min, vous mèneront à Châtelet en passant par la gare du Nord et la gare de l'Est. Comptez 1 heure de trajet. Tarif : 5,60 € pour 4 tickets T.

D'Orly à Paris

Ne croyez pas que les choses soient compliquées…
Si vous suivez notre petit mode d'emploi, tout se passera bien ! Prenez d'abord le métro automatique **Orlyval** pour rejoindre à Antony le RER B (informations :
☎ 0892 68 77 14). Il circule

de 6h à 23h toutes les 8 à 10 min en moyenne. La jonction est directe et sans attente. Comptez alors 35 min d'Orly à Châtelet. Tarif 9,05 €.
Autre solution : une navette

bus vous amènera au RER C – arrêt Pont-de-Rungis/Aéroport d'Orly. Là, vous pourrez prendre le RER de 4h45 à 23h30, toutes les 15 min (30 min après 21h). Comptez 35 min pour atteindre la gare d'Austerlitz. Tarif : 5,65 €.
L'Orlybus, (informations : ☎ 0 892 68 77 14) est direct jusqu'à Denfert-Rochereau. Il passe de 6h à 23h30,

toutes les 15 min, pour un trajet d'une durée de 25 min environ. Tarif : 5,80 €.
Les cars Air France (informations : ☎ 0 892 35 08 20) : la ligne 1 vous mènera jusqu'à Montparnasse et Invalides, de 6h à 23h toutes les 15 min. Tarif : 7,50 €.

Le taxi

Il faut compter au minimum 45 € depuis Roissy et 35 € depuis Orly jusqu'au centre de Paris… en tarif de jour quand la circulation est fluide. Vous pouvez aussi réserver une voiture avec chauffeur au ☎ 01 40 71 84 62. Forfait minimal de 105 € de Roissy à Paris et 90 € d'Orly à Paris. À ces prix s'ajoute un supplément de 30 € pour la réservation et l'accueil.

En train

Selon votre région de départ, vous arriverez dans l'une des six gares de la capitale (gare de Lyon, gare Montparnasse, gare de l'Est, gare du Nord, gare d'Austerlitz, gare Saint-Lazare) ou dans l'une des trois gares d'Île-de-France (Massy TGV ; Marne-la-Vallée – Chessy ; aéroport Charles-

de-Gaulle TGV). N'oubliez pas de réserver, surtout si vous prenez le TGV ou si vous partez un jour de pointe, ce qui est le cas le week-end. Pensez aussi que certaines réductions sont accordées avec les cartes « Enfant plus », « 12-25 ans », « Escapades », « Senior » (+ de 60 ans), mais aussi avec les billets « Prem's », « Découverte Enfant plus », « Découverte 12-25 ans », « Découverte Senior », et « Découverte Séjour ». Compostez toujours votre billet lors de l'accès au train !

Les gares parisiennes sont toutes très bien desservies par les transports en commun. À la descente du train, bus, métro et taxis vous conduiront à votre hôtel.

Le bus est un excellent moyen de découvrir la ville, mais mieux vaut se munir d'un plan détaillé pour choisir la meilleure ligne et partir dans le bon sens (voir p. 28-29). Les moins téméraires et les plus pressés trouveront leur bonheur avec le métro :

Gare de Lyon :
ligne 1 (La Défense – Château de Vincennes), ligne 14 (Madeleine – Bibliothèque François-Mitterrand), mais aussi les RER A et D.

Gare Montparnasse : ligne 4 (Porte-de-Clignancourt – Porte-d'Orléans), ligne 6 (Charles-de-Gaulle/Étoile – Nation), ligne 12 (Porte-de-la Chapelle – Mairie-d'Issy) et ligne 13 (Saint-Denis/ Université – Châtillon/ Montrouge).

Gare de l'Est :
ligne 4, ligne 5 (Bobigny/ Pablo-Picasso – Place-d'Italie) et ligne 7 (La Courneuve – Mairie-d'Ivry ou Villejuif/ Louis-Aragon). Les lignes de RER B, D et E sont facilement accessibles puisque la gare du Nord est à une station de la gare de l'Est.

Gare du Nord :
ligne 2 (Porte-Dauphine – Nation), ligne 4, ligne 5, et les RER B, D et E.

Gare d'Austerlitz :
ligne 5, ligne 10 (Boulogne/

Pont-de-Saint-Cloud – Gare d'Austerlitz), ainsi que le RER C.

Gare Saint-Lazare : lignes 3 (Pont-de-Levallois/Bécon – Gallieni), 12, 13, 14 et le RER E. Pensez aussi aux correspondances avec la ligne A toute proche.

En voiture

Depuis l'instauration du régime centralisé dès le XVIe s., Paris est au cœur du réseau routier français rayonnant. Petites routes ou autoroutes vous conduiront toutes à l'une des portes de Paris. Empruntez l'A 86 et le Boulevard périphérique pour approcher au plus près de votre destination intra-muros, mais attention aux embouteillages ! Pour connaître l'état de la circulation ou celui des routes, appelez le Centre d'informations routières, ☎ 0 826 02 20 22.
Une fois sur place, à vous de voir si vous utilisez votre voiture, si vous la laissez dormir au parking de l'hôtel ou dans un parc de stationnement de la ville. Mais sachez que vous n'en aurez vraiment pas besoin pour toutes vos visites. Les transports publics sont la solution la plus pratique.

Location de voitures
Hertz
☎ 01 41 91 95 25,
www.hertz.fr
Avis
☎ 0 820 05 05 05, www.avis.fr
Europcar
☎ 0 825 358 358,
www.europcar.fr
Opodo
☎ 0 892 23 06 82,
www.opodo.fr

En car

Vous pouvez par exemple venir de Bruxelles à Paris en quatre heures (à partir de 40 € A/R) avec les lignes de la compagnie Eurolines. Vous arriverez alors à la gare routière de Bagnolet (M° Gallieni sur la ligne 3 du métro). Informations :
☎ 0 892 89 90 91,
www.eurolines.fr

Paiement

Vous pouvez régler vos achats en espèces, par chèque ou Carte bleue, ou parfois en traveller's cheques. En arrivant

ou en sortant de France et si le montant de vos devises dépasse 7 600 €, vous vous devez de les déclarer aux douanes françaises. Infos Douanes Service : ☎ 0 820 02 44 44.

Détaxe

Les citoyens de pays extérieurs à l'Union européenne, âgés de plus de 15 ans, peuvent déduire la TVA du montant de leurs achats (à condition d'avoir dépensé plus de 175 € dans un même magasin le même jour). Attention, tout n'est pas détaxable, renseignez-vous au moment de vos achats. Infos Douanes Service : ☎ 0 820 02 44 44.

Formalités

Les ressortissants de pays membres de l'Union européenne passent la frontière avec leur seule carte nationale d'identité ; pour les autres, le passeport est nécessaire, voire le visa. Renseignez-vous au préalable auprès du consulat de France dans votre pays d'origine ou auprès du consulat du pays concerné. Si vous venez avec votre chihuahua préféré ou votre matou, emportez son carnet de santé signé par le vétérinaire et prouvant que votre animal est vacciné.

RENSEIGNEMENTS SNCF

Ligne directe :
☎ 36 35 (0,34 €/min), pour les informations et vente grandes lignes (de 7h à 22h). **Minitel :** 3615 SNCF, pour les informations et ventes grandes lignes.
Internet : www.voyages-sncf.com pour les informations sur les horaires et tarifs. Ce site vous permettra de réserver vos billets, de les imprimer de chez vous selon le tarif choisi ou de vous les faire envoyer à domicile si vous avez passé commande 8 jours à l'avance.

Paris scène

Vitrine des arts et de l'histoire, Paris est une grande scène de théâtre qui se dévore des yeux. D'une rive de la Seine à l'autre, palais, monuments et églises témoignent d'un passé où le mécénat et la religion firent merveille. Les musées se suivent, chacun abritant des collections inégalées. Dans les rues, les façades s'ouvrent sur la peinture, les antiquités, la mode ou le design, et les boutiques sont mises en scène par les plus grands décorateurs du jour.

Scène sur Seine

Miroir de la ville, la Seine est au cœur de l'histoire de Paris. Il suffit de la suivre pour remonter le temps.

Notre-Dame et les rues avoisinantes, c'est encore le Moyen Âge. L'île Saint-Louis, les abords du Marais étaient les quartiers clés du XVIIe s.

La Conciergerie a vu les derniers jours de la famille royale, et le Louvre a connu le faste de la royauté. La Concorde est la quintessence même d'une architecture XVIIIe s. sublimée ; plus loin, à la richesse du dôme des Invalides répond l'exubérance 1900 du Grand Palais et du Petit Palais. Enfin face à face, la tour Eiffel et le palais de Chaillot rappellent l'éclat de Paris plus que jamais « Ville lumière » lors des Expositions universelles.

Scène internationale

À ce microcosme parisien qui fait et défait les modes, les communautés étrangères ont apporté leur touche. Paris est probablement la seule ville de France où l'on peut trouver, simplement en poussant une porte, un réel dépaysement. Tandis que les musulmans ont leur mosquée et leur hammam, les Russes, leur

église, leur conservatoire et leurs épiceries, les Indiens, les Pakistanais et Sri-Lankais se sont implantés dans la rue du Faubourg-Saint-Denis. La rue des Rosiers est au cœur du quartier juif et à Barbès comme à La Chapelle les boutiques ont des allures de souks. Enfin autour de l'avenue de Choisy se développe le quartier chinois avec ses boutiques et ses étals de fruits exotiques.

accompagnent et supportent la commercialisation. C'est ainsi que sur les Champs-Élysées Peter Marino et Eric Carlson ont signé le décor du magasin Vuitton, Andrée Putman et Maxime d'Angeac celui de la maison Guerlain. Le Royal's Bar de l'Hôtel Royal Monceau fut réaménagé par Jacques Garcia, The Ice Kube imaginé par l'artiste Laurent Saksika et l'Hôtel du Petit Moulin par Christian Lacroix.

enchantées, mêlant meubles, fleurs, tissus, objets, vêtements aux vestiges du passé. Les maisons faubouriennes du XVIIIe s., le n° 75 de la rue du Faubourg-Saint-Antoine, la librairie l'Arbre à Lettres (au 56). L'ombre du catalpa et la verrière des établissements des tissus Casal, rue des Saints-Pères (au 40), les ateliers du 21, avenue du Maine avec le fleuriste Lieu-Dit, le décorateur William Foucault. Rue Jacob, allez voir la galerie Triff (au 35). Rue de Seine, ne manquez pas Au Fond de la Cour (au 49).

Scènes d'intérieurs

Il est des lieux magiques qui nous font remonter le temps et voir ce que pouvait être la grande vie aux XVIIIe, XIXe et XXe s. à Paris. Ce sont les petits musées de charme qui dévoilent des collections étonnantes dans un intérieur parisien. Il y a les maisons de collectionneurs comme les musées Jacquemart-André, Nissim de-Camondo ou Cognacq-Jay, mais aussi les ateliers d'artistes qui méritent le détour comme ceux de Gustave Moreau, Zadkine, Bourdelle ou Bouchard.

Mises en scène

De galeries en boutiques, de cafés en restaurants, l'architecture intérieure porte la griffe des designers et des décorateurs les plus en vue, reflet d'une époque où la recherche et le raffinement

Côté cour

À Paris, il faut pousser les portes et découvrir des lieux insolites où des arbres centenaires cachent aux regards les façades patinées par le temps. Des magasins ont pris place dans des cours

ATMOSPHÈRE, ATMOSPHÈRE… LES LUMIÈRES DE LA VILLE

Non loin de l'Hôtel du Nord, sur le bassin de la Villette, les cinémas d'art et d'essais MK2, quai de Loire, vous feront respirer l'atmosphère de Paris. Véronique Kirchner et Serge Barbet se sont chargés de l'architecture de verre et de lumière, Philippe Kaffmann de la scénographie du Café situé en plein soleil au bord du canal, et les Tsé & Tsé ont imaginé une boutique ludique et colorée pour découvrir par l'image, le son et l'écrit les diverses formes de créations. Une navette fluviale baptisée *Zéro de conduite* en hommage au réalisateur Jean Vigo qui tourna ici l'*Atalante*, vous mènera sur l'autre rive où se trouve le complexe MK2 quai de Seine.

MK2 : 14, quai de Seine, 75019, www.mk2.com

Paris passages

Traversant les maisons avec désinvolture, se faufilant discrètement d'une rue à l'autre, le passage est une invention parisienne. La Restauration, la monarchie de Juillet, spéculation immobilière aidant, en font une mode. On s'y promène, on s'y montre, on s'y donne rendez-vous. Aujourd'hui, la foule a disparu, mais les passages ont gardé ce charme particulier auquel les Parisiens ne résistent pas.

Le prince promoteur

En 1785, le duc d'Orléans, apparemment à court d'argent, mit en vente les arcades qu'il avait fait

construire dans son jardin du Palais-Royal. Il fit aussi relier la galerie de Montpensier à la galerie de Valois par un pont de bois qui se couvrit aussitôt de boutiques. Le « passage » était né, et avec lui le succès. Si bien qu'après la Révolution, spéculateurs et promoteurs en reprirent l'idée sur les terrains que la revente des biens nationaux venait de libérer.

Les beaux jours

La galerie Vivienne, la galerie Colbert, la galerie Vero-Dodat ouvrirent en 1826. Aux plafonds percés de simples lucarnes de verre succédaient les verrières ; la vitrine

s'élargissait, libérée de ses montants de bois ; la fonte apparaissant lui donnait une solidité nouvelle. Le gaz, dès 1817, éclairait les passages qui brillaient de mille feux. La foule s'y pressait, attirée par les restaurants et les cafés, les librairies et les cabinets de lecture, les pâtisseries et les confiseries. On ne comptait plus les modistes et les couturières. La bourgeoisie, éblouie par un luxe désormais accessible, dépensait sans compter et venait danser les soirs de bal.

Le déclin

Louis-Philippe au pouvoir mit fin à la prostitution et aux maisons de jeu qui pullulaient dans les jardins du Palais-Royal, qu'on déserta peu à peu. Pour les autres passages, ce fut le coup de grâce. L'urbanisation de la capitale sous Napoléon III, la pression foncière, la construction de bâtiments spectaculaires pour

l'époque, la modernisation, enfin, déplacèrent les centres d'intérêt de Paris, et les passages se démodèrent Dans le guide Baedeker de 1878, les passages de Paris ne sont même pas mentionnés.

L'oubli

Le temps passait. Au début des années 1960, dans l'indifférence générale, la verrière de la galerie Vivienne s'effondrait sous le poids de l'ouvrier qui la réparait ; la galerie Colbert servait d'entrepôt et sa rotonde… de parking ! Finalement, dans les années 1980, la mode s'installait place des Victoires et dans les rues avoisinantes ; les éditeurs de tissus, rue du Mail ou rue des Petits-Champs. Tout un monde à l'affût de la nouveauté redécouvrait le charme de ce quartier de Paris et de ses passages couverts à peu près oubliés depuis le XIXᵉ s.

Le temps retrouvé

On flâne de nouveau dans les passages enfin rénovés. Des boutiques de mode et de décoration ont pris la place des petits commerces, que Balzac décrivait dans les *Illusions perdues*, près des quelques libraires, brocanteurs ou artisans qui avaient réussi à survivre. Les cafés ont retrouvé leur clientèle, d'autres ont ouvert leurs portes. Une foule de stylistes, de couturiers, de publicitaires, de journalistes, et tous ceux qui gravitent autour s'y donnent rendez-vous, renouant ainsi avec une tradition que l'on croyait perdue.

PASSAGES PRATIQUES

Pour la déco, la mode, les bouquins, on va galerie Vivienne (voir p. 43).
Le passage Choiseul offre un doux pêle-mêle, du prêt-à-porter à la téléphonie, des posters et des affiches aux jouets. Coups de cœur chic et mode, c'est la brocante, les antiquités, la maroquinerie ou l'édition dans la galerie Vero-Dodat (voir p. 43)
Le passage des Panoramas entre la rue Saint-Marc et le boulevard Montmartre vaut le coup d'œil. C'est facile d'y déjeuner ou d'y prendre un café. Les objets de curiosité de Thomas Boog et les idées charme de Pain d'Épices font le bonheur du passage Jouffroy.
Les collectionneurs flâneront passage Verdeau à la recherche, notamment, de dessins, de gravures, de cartes postales anciennes ou de vieux bouquins.

Paris fleuri

Paris a toujours aimé les fleurs. On pourrait imaginer, pour visiter
la ville, un itinéraire de senteurs et de couleurs. Il traverserait les marchés,
s'arrêterait devant les boutiques de quartier, passerait par les jardins
publics et les avenues fleuries. Ce serait un parcours de feuillages
et de fleurs, des plus simples aux plus rares, rythmé par les saisons,
sans cesse différent. Une autre façon de voir, un air de liberté.

Prélude et fugue

Déjà au XVIIe s., les hôtels
du Marais ouvraient sur des
parterres qui poursuivaient
dans le paysage les lignes de
leur architecture. Le jardin
du Luxembourg de Marie de
Médicis, très fréquenté au
XVIIIe s. par les gens de lettres
et les artistes, est resté tel
que l'a finalisé Chalgrin au
début du XIXe s. Les Tuileries
d'aujourd'hui retrouvent
peu à peu l'ordonnance que
leur avait donnée Le Nôtre, et
quand on a fêté le bicentenaire
de la Révolution, les Champs-
Élysées se sont habillés de
blé, le Syndicat des jeunes
agriculteurs symbolisant
ainsi, en plein Paris, la
richesse de la France.

Une bonne situation

Il faut dire que Paris a tout
pour être la capitale des
fleurs : de l'argent, du goût, la
nostalgie de la campagne et
une situation de rêve au cœur
d'une région horticole.

Une tradition que la poussée
des grands ensembles de
banlieue n'est pas arrivée à
détruire : Belle-Épine, L'Haÿ-
les-Roses, Fontenay-aux-
Roses, par exemple, rappellent
par leur nom que le sud de la
banlieue parisienne et la Brie
voisine demeurent le centre
des rosiéristes. Le Vexin est
celui des plantes à bulbe qui
alimentent la ville au jour le
jour. Et les aéroports, où les
avions déchargent par brassées
les fleurs venues du Midi, sont
à une demi-heure à peine.

Jardins publics

Les jardiniers de la Ville de
Paris entretiennent avec
amour les plates-bandes et
les parterres des 426 jardins

publics comme ceux des avenues. Les fleurs de saison se succèdent dans les allées du Luxembourg. Les arbres centenaires et les roses de Bagatelle font courir tout Paris ; le Jardin des

plantes reste un des lieux de l'horticulture parisienne ; la vallée des Fleurs du Parc floral de Paris, dans le bois de Vincennes, se couvre de giroflées, de tulipes, de pensées et d'une collection d'iris unique au monde… Près de 100 000 plantes sont cultivées chaque année dans les magnifiques serres d'Auteuil à l'architecture Napoléon III, et les touristes photographient les massifs des Champs-Élysées hiver comme été.

La politique du vert

La Ville de Paris possède 3 000 hectares d'espaces verts et 478 000 arbres. Ce patrimoine est entretenu par 1 556 jardiniers et 232 bûcherons, tandis que les horticulteurs municipaux « produisent » 215 000 plantes vivaces et grimpantes, 3 millions de plantes fleuries ou vertes et plantent 2 400 arbres chaque année ! Dès qu'il est possible de récupérer un peu

d'espace dans la ville, les paysagistes tentent d'y mettre un peu de chlorophylle : le jardin Atlantique au-dessus des voies ferrées de la gare Montparnasse, la « Coulée verte », cette magnifique promenade plantée sur le viaduc Daumesnil allant de la Bastille au bois de Vincennes. En 2006, 9 hectares de jardins supplémentaires ont été ouverts au public. Nouveaux jardins ou extensions de jardins existants, espaces végétalisés… la nature reprend ses droits.

Un programme de visite

Parcs, jardins, cimetières, bois ont leur histoire et leur spécificité. La Ville de Paris organise tout au long de l'année des cycles de conférences sur l'histoire des jardins, sur les plantes.

On peut aussi suivre des cours de botanique et de jardinage. Enfin à la belle saison, des visites guidées vous feront découvrir des jardins haussmanniens (Buttes-Chaumont, Montsouris), des jardins modernes (parc André-Citroën, parc de Bercy) des ambiances sauvages des jardins naturels, de la convivialité des jardins partagés…

« TROC MAIN-VERTE »

Certains balcons parisiens révèlent par leur luxuriance certains des talents verts ! Pour encourager ces initiatives qui embellissent les façades d'immeubles, la Ville de Paris organise trois fois par an (un dimanche après-midi en mars, en juin et à l'automne) le Troc Main-Verte. On échange des graines, des boutures, du petit matériel et des conseils. Cela se passe à la Maison du Jardinage au chai de Bercy.
**Parc de Bercy, 41, rue Paul-Belmondo, 75012
☎ 01 53 46 19 19.**

Paris intello

« La France est le four où cuit le pain intellectuel de l'humanité », disait le cardinal Eudes de Châteauroux au XIIIe s… Paris, qui en est devenu la capitale en 987 lors du couronnement d'Hugues Capet, n'a cessé de voir son prestige dépasser largement les frontières de l'Hexagone. C'est de Paris que partent les grands courants d'idées, les créations littéraires et artistiques, les mouvements de contestation. C'est à Paris qu'éditeurs, libraires, groupes de presse, télévisions et radios s'installent en priorité. Un parfum intello flotte sur les dîners en ville, et les restaurants se rappellent l'époque bénie où leurs clients s'appelaient Sartre, Cocteau ou Fitzgerald.

À l'origine

Au Moyen Âge, déjà, Paris séduit les beaux esprits et joue son rôle de capitale. On y vient de province ou de l'étranger faire des études, et les collèges se multiplient autour de la Sorbonne ouverte en 1257.

Le Quartier latin (surnommé ainsi d'après la langue dans laquelle on a enseigné jusqu'à la Révolution) devient le siège de l'intelligentsia. La fondation du Collège de France, en 1530, ajoute à sa réputation ; la présence des universités attire les métiers du livre.

Le rayonnement

L'éclat intellectuel de Paris ne cessera de grandir : les rois s'entoureront de penseurs, d'écrivains, de scientifiques, d'artistes. L'esprit français s'exportera au XVIIIe s., les idées de Rousseau et de Voltaire feront un tour d'Europe, les Cours étrangères chercheront à imiter Versailles, et les salons parisiens pratiqueront l'humour et l'intelligence avec maestria. Le XIXe s. produira des monstres sacrés qui, par leurs romans, immortaliseront la société parisienne : Balzac, Flaubert, Zola, Eugène Sue… Le XXe s. débutant vivra à jamais dans les pages de Proust.

La librairie

À Paris, les bouquinistes ont beaucoup aidé à la diffusion du livre. En 1857, on en dénombrait soixante-huit ; un certain Laîné voyait passer chaque année près de 150 000 volumes entre ses mains… La librairie, telle que nous la connaissons, n'existait pas encore. Doublée souvent d'une maison d'édition, elle faisait office de cabinet de lecture ou de salon littéraire. On pouvait y louer les ouvrages, les intellectuels s'y retrouvaient autour de livres fraîchement parus, ou y lisait la presse étrangère enfonis dans des fauteuils, comme le faisait Stendhal chez Galignani.

D'une spécialité à l'autre

L'un des avantages de Paris est d'offrir de quoi satisfaire tous les goûts de lecture. Les piqués de théâtre passent des heures à la Librairie théâtrale (3, rue Marivaux, 75002, ☎ 01 42 96 89 42) ; chez Fischbacher (33, rue de Seine, 75006, ☎ 01 43 26 84 87), vous trouverez tous les livres d'art. À la Librairie des Abbesses (30, rue Yvonne-le Tac, 75018,

☎ 01 46 06 84 30), des conseils très avisés et du style. Le tour du monde se fait en images à l'Astrolabe (46, rue de Provence, 75009, ☎ 01 42 85 42 95) et à la librairie Ulysse (26, rue Saint-Louis-en-l'Île, 75004, ☎ 01 43 25 17 35). Les livres se dévorent à la Librairie gourmande (4, rue Dante,

75005, ☎ 01 43 54 37 27). Et pour tout savoir sur la botanique, on va à la Maison rustique (26, rue Jacob, 75006, ☎ 01 42 34 96 60).

La Rive gauche

Abélard (1079-1142), considéré comme le premier des philosophes français, évincé par les chanoines de Notre-Dame, traverse la Seine suivi de ses élèves et commence à enseigner Rive gauche. Le Quartier latin est lancé… Aujourd'hui, la multiplication des facs et des universités de la périphérie n'a pas chassé les étudiants des Ve et VIe arrondissements. C'est là qu'ils trouvent leurs cafés préférés, les cinémas aux films intellos, les librairies universitaires et scientifiques. C'est là que l'intelligentsia parisienne se doit d'habiter.

PARIS D'ARTISTES

Les rues de la Rive gauche sont pleines de souvenirs. Balzac, au 17 de la rue Visconti, s'était lancé dans l'imprimerie et l'édition avant d'écrire lui-même. Au 24, Racine passa les dernières années de sa vie. Delacroix peignit place de Furstenberg. Le nom d'Oscar Wilde est lié à jamais à celui de l'hôtel, rue des Beaux-Arts. L'abbé Prévost, auteur de *Manon Lescaut*, vécut 12, rue Saint-Séverin ; Alphonse Daudet et Charles Cros, 7, rue de Tournon. Pascal écrivit les *Pensées* 54, rue Monsieur-le-Prince ; Sainte-Beuve habita cour du Commerce-Saint-André et Verlaine, rue de la Harpe.

Paris cafés

Paris ne serait pas Paris sans ses cafés.
Du Trocadéro à Saint-Germain, de Montparnasse
à la Bastille, aveugles et sourds, ils jouent les
témoins silencieux pendant que la capitale s'agite.
Que de mondes réinventés un verre à la main,
d'idées débattues sur le zinc, de déclarations
murmurées autour d'un guéridon… Au XVIIIe s.
déjà, Voltaire et Rousseau se croisaient au
Procope, rue des Fossés-Saint-Germain.

Le premier café

Paris devait attendre 1684 pour avoir son café, après Venise et Marseille. Et encore, c'était un Sicilien qui l'ouvrait, le *signor* Procopio. Le succès était foudroyant, d'autant plus que la Comédie-Française s'installait de l'autre côté de la rue et que les Parisiens, entre deux spectacles, prenaient goût à cette nouvelle boisson qui venait d'Orient. On dit que Racine écrivait ses pièces de théâtre la tasse à la main.

Cafés et politique

Le café devenait vite l'endroit idéal où débattre et discuter des idées à la mode ; Diderot et d'Alembert auraient lancé l'*Encyclopédie* au Procope. Les révolutionnaires de tous bords, Camille Desmoulins en tête, hantaient les cafés du Palais-Royal. Au XIXe s., les beaux esprits des Grands Boulevards se retrouvaient chez Tortoni. Plus près de nous, Trotski prêchait à la Closerie des Lilas, Jean-Paul Sartre et Simone de Beauvoir définissaient, au Café de Flore, l'esprit contestataire.

Cafés d'artistes

Les écrivains, les peintres faisaient les beaux jours des cafés de Montparnasse et de Saint-Germain-des-Prés. Apollinaire passait d'un quartier à l'autre ; Modigliani payait ses dettes à La Rotonde

en noir et blanc des films de la nouvelle vague… Terrasses de bistrot ou terrasses à la mode, elles sont uniques au monde et vivent de l'air du temps. Les plus « m'as-tu-vu » sont des scènes de théâtre où chacun est tour à tour acteur et spectateur ; le téléphone cellulaire y fait fureur ces temps-ci.

Garçon !

Dans certains établissements, jusqu'à la fin des années 1930, le garçon de café achetait son tablier comme on achète une place ou une charge… Nœud papillon, gilet à poches et tablier blanc tombant sur les chaussures ou veste blanche et pantalon noir, il parcourt souvent de 10 à 20 kilomètres par jour en allers et retours incessants d'une table à l'autre.

Il est un peu l'« oreille » du consommateur, parfois le confident, celui qui sait ou qui devine sans le laisser paraître, le discret que les conversations effleurent. Chaque année, la Mairie de Paris et le Syndicat des cafetiers parrainent pour lui la Course des garçons et serveuses de cafés dans les rues de la capitale, mettant ainsi en évidence leur rapidité et leur adresse.

en donnant des tableaux, quatorze toiles en tout, brûlées à sa mort… Truman Capote, Ernest Hemingway avaient leur table à la Closerie des Lilas. Ils allaient aussi au Café de Flore, comme André Breton, Albert Camus et bien d'autres. Un roman, une pièce de théâtre naissait de leurs échanges, de leurs observations.

Terrasses de Paris

Au premier rayon de soleil, les tables sortent des cafés, disputant les trottoirs aux piétons (auxquels la Mairie de Paris accorde un passage de 1,40 m à 1,60 m). Les Américains qui découvraient la ville après la dernière guerre raffolaient de ces terrasses improvisées. Le cinéma des années 1950 nous les montre et remontre. Souvenez-vous d'*Un Américain à Paris* ou de *Funny Face*, des images

Paris gourmand

Capitale d'un pays riche où la culture, l'élevage et la pêche comptent beaucoup, Paris ne pouvait échapper à la gourmandise. Les rois et les princes s'attachaient les plus grands cuisiniers ; les meilleurs pâtissiers inventaient les délices que l'on connaît encore aujourd'hui. La littérature témoignait de marchés abondants, d'engouements passagers, de folies culinaires. De vitrine en vitrine, de salé en sucré, la tentation l'emporte ; on entre, on achète, on goûte : c'est bon et c'est Paris.

Le ventre de Paris

En 1855, à la demande de Napoléon III, on avait construit les Halles, architecture de fer dessinée par Baltard, gigantesque marché qui nourrissait la ville. Dans les cafés et les restaurants voisins, les noctambules venaient finir leur nuit au coude à coude avec les forts des Halles. Paris perdit une partie de son âme quand, en 1969, les Halles s'exilèrent à Rungis. Deux cent trente-deux hectares de marchés aux portes de la ville d'où partent, chaque jour, quelque vingt-huit mille véhicules qui vont alimenter un Français sur cinq…

Épiceries fines

Des épiceries d'un genre nouveau ouvrent leurs portes au XIXᵉ s., et Paris prend goût à l'exotisme. Hédiard commence, en 1860, avec le Comptoir d'Épices et de Colonies, rue Notre-Dame-de-Lorette ; on y trouve des épices, des fruits du bout du monde, des légumes jamais vus. En 1886, Auguste Fauchon installe sa charrette des quatre saisons place de la Madeleine et séduit la ville avec des produits régionaux. On connaît la suite…

Un amour de chocolat

Le chocolat arrive à Paris dans les bagages d'Anne d'Autriche via l'Espagne des conquistadores, et la première fabrique en « liqueur ou pastilles » ouvre ses portes en 1659. Il est alors chic et snob, et la marquise de Sévigné en parle dans ses lettres. Aujourd'hui, Paris compte les meilleurs chocolatiers : Robert Linxe, Jean-Paul Hévin, Pierre Hermé, Dalloyau, Lenôtre, Debauve et Gallais. Le plus connu des salons de thé,

Tradition gourmande

Déjà, vers 1550, le pâtissier chantait dans les rues : « Et moi, pour un tas de friands… tous les matins je vais criant échaudés, gâteaux, pâtés chauds ! » C'est à Paris qu'au XVIIᵉ s. Ragueneau inventait les amandines ; Vatel, la crème Chantilly ; Carême, au XIXᵉ s., le nougat, les meringues et les croquants. En 1830, le fondant apparaissait et, en 1835, les marrons glacés. À la même époque, chez Sergent, rue du Bac, le mille-feuille faisait fureur. L'année 1865 découvre la crème au beurre chez un certain Quillet.

Angelina, sert un chocolat onctueux pour lequel on fait la queue les après-midi d'hiver. Paris a même son Club des croqueurs de chocolat, une société gourmande à responsabilité limitée.

Le goût de l'exotisme

Paris est la seule ville de France où l'on peut trouver si facilement ce qui se mange partout ailleurs. Afrique et Antilles, Asie et Méditerranée, Amérique et Russie, Proche-Orient, Scandinavie…, les boutiques se sont multipliées, offrant le meilleur des traditions lointaines à une clientèle avide de sensations. Les fruits, les légumes, les épices, les condiments, les charcuteries, les sucreries… le tour du monde dans une assiette.

PAIN, BRIOCHE ET VIENNOISERIE

Même si on le prend sur le zinc avec le café du petit déjeuner, le croissant n'a rien de parisien ; c'est une de ces « viennoiseries », si bien nommées, importées d'Autriche. La brioche, quant à elle, est bien une création parisienne depuis 1690, tout comme la baguette, dans sa version 250 g, qui apparaît dans les années 1960. On appelle aussi « parisien » le pain de 400 g fait de farine blanche qu'on pétrit avec une technique particulière.

Paris fouineur

Le samedi matin, Paris s'habille couleur muraille et se glisse aux puces, à la recherche d'occasions inespérées. Les meubles et les objets s'étalent sur les trottoirs, débordent dans les allées, s'accumulent sur les étagères. La chasse est ouverte au paradis des fouineurs et des collectionneurs.

Petite histoire des grandes puces

Tout avait commencé avec les chiffonniers qui s'étaient installés à la fin du XIXe s. au-delà des fortifications de Paris, histoire de ne pas payer l'octroi en entrant dans la ville. Ils avaient choisi Saint-Ouen où descendaient, pour aller aux bals, les gens qui habitaient la colline de Montmartre. Une certaine bourgeoisie en mal d'émotions fortes s'encanaillait dans ces guinguettes et ces cafés et se joignait aux curieux devant ces déballages invraisemblables de chiffons et de bric-à-brac. D'observatrice, elle allait vite devenir cliente et

lancer une mode. Les puces étaient nées, c'était en 1891 ; elles n'allaient plus s'arrêter de grandir.

Le style puces

Les apparences sont parfois trompeuses. Même s'il saucissonne et tape le carton devant un stand style Armée du Salut, le marchand des puces est souvent un bourgeois ou un aristo qui se cache derrière un air popu. Il trouve dans ce métier une liberté, une satisfaction qu'il n'aurait pas ailleurs. N'imaginez pas faire des trouvailles à bas prix, vous avez affaire à un véritable professionnel qui connaît sa marchandise et son juste

prix. Aux puces, habillez-vous décontracté et soyez passe-partout, façon sport. Restez simple et naturel, prenez un air indifférent et surtout ne dites pas ce que vous cherchez.

Puces de Saint-Ouen : mode d'emploi

Le monde entier passe aux puces de Saint-Ouen, stars comprises, piétinant avec courage et délice près de 30 hectares sur lesquels sont

posés les stands de quelque 2 000 marchands répartis en dix marchés. C'est le plus grand centre d'antiquités au monde ! Inutile de se lever à l'aube, la plupart des boutiques ouvrent vers 9h-9h30 les samedis et dimanches pour fermer à 18h. Durant le week-end, il règne dans ce quartier une effervescence incroyable et tout le monde repart avec quelque chose sous le bras, une chaise à retaper, un bibelot, une lampe, un tableau… Vernaison est le marché le plus authentique, on y trouve de tout, de l'argenterie, des bijoux, des dessins anciens. Paul Bert a aussi son petit cachet, il est idéal pour dénicher des tables et des chaises en fer forgé pour le jardin, des meubles de métier pour la maison de campagne ou des objets des années 1970 ! Le labyrinthique marché Serpette, plus chic et plus cher, est bourré du sol au plafond d'antiquités classiques. Enfin pour ceux qui aiment fouiller dans un vaste bazar hétéroclite, il faut traverser le marché Jules-Vallès. Pour les blousons de cuir, les jeans, les Doc Martens on va au marché Malik, mais attention aux pickpockets ! Épuisé et mort de faim, on s'affale dans les cafés-restos restés « dans leur jus »… (Voir aussi le Shopping p. 118-119.)

Bonne conduite

Inutile de proposer 1 500 € pour une commode vendue 3 000 €, mieux vaut comparer et réfléchir à la valeur de l'objet ou du meuble avant de se lancer. On obtient d'ailleurs souvent plus en sympathisant et en bavardant avec le marchand. Payer en espèces facilite parfois les choses. N'hésitez pas à partir pour revenir dix minutes plus tard, un objet n'est pas perdu, et quand bien même il le serait… On peut aussi le retenir, demander à payer à tempérament. Si la somme est élevée, demandez une facture datée, détaillée, qui facilitera les choses en cas de revente, de succession ou de cambriolage (pour remplir la déclaration à l'assureur).

Les bouquinistes

Du quai de la Tournelle au quai Voltaire pour la Rive gauche, du quai de l'Hôtel-de-Ville au quai du Louvre pour la Rive droite, farfouiller chez les bouquinistes fait aussi partie des charmes de Paris. Présents dès le XVIᵉ s., ils connaissent leur âge d'or après la Révolution quand bon nombre de bibliothèques furent confisquées à la noblesse. Les boîtes vertes, fixées sur les parapets des quais de Seine, s'ouvrent quatre fois par semaine pour dévoiler, livres, vieux papiers, gravures plus ou moins anciennes, cartes postales, posters, BD… On parcourt ce pêle-mêle inégal dans le bruit des voitures mais le long des quais de Seine… Les trouvailles se font au hasard des boîtes.

LAMBERT-LAMBERT

Georges Lambert retombe en enfance avec cette boutique qui regorge d'objets et de meubles design des années 1930 à 1970. Du verre, du chrome, du plastique coloré pour des luminaires, des bibelots et des petits meubles, aux murs des vieilles affiches qui évoquent le voyage. À partir de 80 € vous pourrez acquérir une petite lampe orange des années 1970.

8, rue des Barres, 75004, Mᵒ Hôtel-de-Ville
☎ 01 48 04 99 18, www.lambertlambert.com
Jeu.-dim. 12h-19h. F. en août.

Paris mode

Il n'y a qu'à Paris qu'on puisse réunir pour les défilés des collections haute couture et prêt-à-porter quelque 2 000 journalistes et 800 acheteurs. Karl Lagerfeld peut être Allemand, John Galliano Anglais et Gianfranco Ferre Italien, la mode se fait à Paris. Asiatiques et Américains débarquent deux fois par an pour être les premiers à voir ce qui se portera du Pacifique à l'Atlantique, confirmant que le chic parisien est et restera inimitable.

Le défilé

C'est au Carrousel du Louvre que se tient maintenant la grand-messe de la mode, matérialisation des rêves et des espoirs des couturiers du monde entier. Le rituel est invariable. On se bouscule à l'entrée, on se précipite vers sa chaise, on regarde qui est là et on attend. La salle s'électrise, la nervosité des coulisses devient perceptible ; les projecteurs s'allument, la musique éclate, et ce que le monde compte de top models défile sur le podium. La collection est un formidable coup de pub pour le prêt-à-porter, les accessoires, les parfums et les cosmétiques.

Qui achète ?

Après la dernière guerre, 20 000 femmes s'habillaient encore en haute couture. Elles ne sont plus aujourd'hui que deux cents de par le monde. Près de 80 % de la clientèle est étrangère, les Américaines en tête, puis les Asiatiques et les Européennes. Les princesses arabes, jadis très gourmandes, se sont faites plus discrètes après la guerre du Golfe. Une robe de couturier demande au moins cent heures du travail le plus minutieux, trois à quatre essayages et se paie plus de 7 500 €. Un chiffre

Christian Lacroix haute Couture hiver

copiés à l'étranger. Snobisme aidant, on est prêt à tout pour afficher une marque, même à porter un faux acheté dix fois moins cher dont on taira le prix. Mais la qualité médiocre des contrefaçons ternit l'image, et la multiplication des copies nuit à l'économie et aux exportations. Les douanes et la police ont l'œil. En 1998, 10 millions d'articles contrefaits furent saisis à la frontière de l'Union européenne, pour 100 millions en 2003. Cela n'empêche pas l'Italie de battre des records de production, et l'Indonésie, la Thaïlande ou les Philippines d'inonder le monde de faux, et les entreprises françaises de payer très cher la défense de leur marque.

à multiplier par quatre pour une robe du soir… C'est pour cela que la haute couture n'intervient qu'à hauteur de 6 % dans le chiffre d'affaires réel des couturiers. Mais, ces créations prestigieuses servent de locomotives aux productions moins exclusives.

Création et diffusion

Pour répondre à l'évolution de la société et aux nouvelles donnes de l'économie, couturiers et créateurs de mode développent sur une grande échelle gammes d'accessoires et lignes de prêt-à-porter. Leur démarche se précise dans les années 1970, accompagnant l'abandon d'un certain conformisme et l'émergence des 15-25 ans dont le pouvoir d'achat, même faible, en fait pourtant des consommateurs à part entière. De nouveaux noms, attentifs à leurs désirs, s'emparent de la mode. On découvre Kenzo, Agnès b., Dorothée Bis, Emmanuelle Khanh… On voit s'installer à Paris Yamamoto, Comme des Garçons… L'informel investit universités et cafés branchés, la mode est notamment aux jeans à tout prix.

Usage de faux

Rançon de la gloire, couturiers et stylistes français sont

SOLDES : MODE D'EMPLOI

Pas si facile d'assister aux défilés des collections, on s'arrache les places, et, sans invitation, il est impossible d'entrer. Il faut être client, acheteur, journaliste ou ami. Les soldes des stocks des couturiers et des créateurs sont réservés à la presse et au personnel, mais on peut, par « copinage », arriver à s'y faufiler. Encore faut-il qu'il n'y ait pas trop de queue. Les soldes en boutique, sauf parfois les premiers jours, sont ouverts à tous et quelquefois annoncés dans la presse. Il suffit souvent de payer par chèque pour recevoir une invitation pour les soldes privés de la saison suivante.

Paris luxe

Guerlain parfumait déjà épaules et décolletés au XIXe s. Eugénie de Montijo portait des robes de Worth, et Poiret habillait le Paris des Années folles. Chanel, Dior, Hermès, Cartier, Puiforcat, Lalique…, ces noms font rêver le monde entier, images d'un luxe parisien si souvent envié et si mal imité. La politique des marques, les lois du marché ont fini par le rendre plus accessible. Sans qu'il perde pour autant de son charme et de sa séduction.

Le prix du luxe

Il est des noms qui font rêver et le rêve se paye, mais le luxe ne paraît plus si cher quand on le relativise. Il repose sur l'authenticité, les matières nobles, privilégie la série limitée, redonne au geste de l'artisan la valeur qui est la sienne. Christian Dior disait qu'on n'est jamais trop cher quand la qualité entre en jeu. Le fameux sac Kelly d'Hermès demande 18 heures de travail, des cuirs les plus exceptionnels, il se vend environ 2 200 € et se garde toute une vie. Un verre du plus pur cristal taillé à la main

avec un savoir-faire ancestral coûte chez Baccarat quelque 60 €, mais, dès que vous l'achetez, c'est déjà un objet de collection.

La capitale du luxe

Le luxe en France est lié au terroir et pourtant… La soie a beau venir de Lyon, les parfums des environs de Paris, l'orfèvrerie de Normandie et la porcelaine de Limoges, la vitrine est à Paris, c'est là que tout se passe, que tout se crée et que tout se vend à une clientèle souvent étrangère. À lire la brochure du comité Colbert,

organisme qui regroupe les métiers du luxe, on y relève les dates de la fondation de certaines maisons : Révillon, 1723 ; Baccarat, 1764 ; Château d'Yquem, 1786 ; Puiforcat, 1820 ; Hermès, 1837 ; Boucheron, 1858 ; Bernardaud, 1863 ; Lanvin, 1889 ; Lalique, 1910, etc. Le luxe a la vie longue et court tous azimuts : de la mode à l'orfèvrerie, de la joaillerie à la parfumerie, de la décoration à la cristallerie.

Qui possède le luxe ?

Le luxe appartient le plus souvent à des capitaux

français, sauvé par les rachats et les restructurations. L'orfèvrerie Puiforcat et la cristallerie Saint-Louis sont tombées dans l'escarcelle d'Hermès. Si la famille Wertheimer possède Chanel (depuis 1924), le groupe LVMH détient Christian Dior, Givenchy, Vuitton, Moët & Chandon, Hennessy, Kenzo… Cardin possède sa propre marque et ses multiples licences ; le groupe Sanofi détient Yves Saint Laurent, Nina Ricci et Roger & Gallet. Les capitaux des grands hôtels échappent à cette logique ; le Crillon est resté français, mais le Ritz est devenu arabe ; le Plaza et le George-V sont américains ; et le Bristol est allemand.

Qui achète le luxe ?

Haute couture mise à part, le luxe s'est démocratisé et il est aujourd'hui beaucoup plus accessible qu'auparavant. Licences, franchises et politique de marques ont diversifié le luxe, multipliant les supports. Avec l'avènement de la pub, le nom propre est devenu nom commun, entraînant la démocratisation des produits. Chez les couturiers, les lignes accessoires ou prêt-à-porter, qu'elles s'appellent Bis, Parallèle, Bazar ou Diffusion, jouent les prix serrés sans pour autant négliger le style ou la qualité. Orfèvres, porcelainiers et cristalliers ont toujours dans leurs collections des modèles moins chers remis sans cesse au goût du jour.

Les rues du luxe

Chaque capitale a les siennes, que ce soit New York, Tokyo, Londres ou Milan. Le luxe a ses quartiers, la clientèle y passe, les maisons ont intérêt à s'y regrouper, le lèche-vitrines l'impose. À Paris, les rues du luxe s'appellent l'avenue Montaigne, la rue du Faubourg Saint-Honoré, la rue François-Ier, la rue Royale ou la place Vendôme. Depuis quelque temps, le luxe s'installe aussi à Saint-Germain-des-Prés. Armani, Christian Lacroix, Louis Vuitton, Jean-Charles de Castelbajac rejoignent Yves Saint Laurent place Saint-Sulpice, retrouvant une clientèle Rive gauche qui, par snobisme, abandonne parfois la Rive droite aux touristes.

LUXE : MODE D'EMPLOI

À Paris, le luxe se laisse approcher. Il ne faut pas hésiter à pousser la porte des grandes maisons pour rêver un instant, respirer la mode et le raffinement. On se promène chez Dior comme on veut, de vitrine en vitrine devant des vendeuses stylées qui se font discrètes. Ne vous laissez surtout pas intimider par leur uniforme, bleu ou noir selon l'adresse. Parcourez sans complexe les étages d'Hermès, faites-vous plaisir, mettez-vous à l'aise, sans vous croire obligé d'acheter.

Paris :
un grand magasin

Dans le fond, Paris est à lui seul un grand magasin. Dès le Moyen Âge, les différents corps de métier, regroupés en corporations, se sont installés dans chaque quartier. Aujourd'hui encore, cette ancienne tradition se perpétue, donnant leur coloration propre à certains lieux de la capitale.

Un rayon par quartier

Cycles et voitures brillent aux vitrines de l'avenue de la Grande-Armée, cristaux et porcelaines à celles de la rue de Paradis, alors que les libraires et les éditeurs sont plutôt autour de Saint-Germain-des-Prés et de l'Odéon. Le mobilier (plutôt tape-à-l'œil) trône rue du Faubourg-Saint-Antoine ; la musique, instruments et partitions, a colonisé la rue de Rome ; l'avant-garde des créateurs de mode s'est établie place des Victoires ; les grands joailliers, rue de la Paix et place Vendôme ; et le tissu à pignon sur rue autour du marché Saint-Pierre près du Sacré-Cœur. La confection de prêt-à-porter courant squatte le quartier du Sentier, pas très loin de l'endroit où la plupart des quotidiens nationaux avaient leur siège. Les accessoiristes et les équipementiers moto se trouvent tous près de la Bastille ; quant à la micro-informatique, elle est installée avenue Daumesnil, près de la gare de Lyon.

Petite histoire des grands magasins

Presque tous centenaires, les grands magasins parisiens se visitent au même titre qu'un monument, mais leur entrée est gratuite ! Le premier du genre fut Le Bon Marché créé par Aristide Boucicaut en 1852 et immortalisé peu après par

Escaliers du Bon Marché, designés par Andrée Putman

Émile Zola, dans son roman *Au Bonheur des dames*. C'est un ancien employé de ce magasin, Jules Jaluzot, qui fonda le Printemps, sur la Rive droite, en 1865. La Samaritaine a été créée en 1870 par Ernest Cognacq, un camelot qui vendait des cravates dans un parapluie sur le Pont-Neuf. Elle est fermée pour d'importants travaux de rénovation qui dureront au moins jusqu'en 2011. Les Galeries Lafayette, ancienne boutique de frivolités fondée par Alphonse Kahn et Théophile Bader en 1899, sont le « petit dernier » des grands magasins parisiens.

Les grands magasins spécialistes

Même s'ils sont généralistes par vocation, les grands magasins parisiens ont souvent des points forts. Le Bazar de l'Hôtel-de-Ville (BHV) est la Mecque du bricoleur. La Samaritaine, actuellement fermée était réputée pour ses rayons quincaillerie, jardinage, accessoires de cave, vêtements de travail. Le Printemps, boulevard Haussmann, propose le plus grand espace beauté du monde : 4 000 m² accueillant plus de 300 marques.

Le Bon Marché, très BCBG, a une excellente épicerie où l'on se rend de toute la Rive gauche. Les Galeries Lafayette se consacrent plutôt à la mode (parfums, accessoires et surtout vêtements), avec depuis peu l'ouverture d'un Lafayette maison, situé juste en face du magasin d'origine. Pour renouveler la curiosité de leur clientèle, les grands magasins organisent souvent des expositions thématiques autour des pays (la Chine, le Vietnam, l'Angleterre…) fort bien faites. La culture du pays côtoie les produits typiques, les meubles anciens, les objets d'artisanat ou les vêtements traditionnels. On peut regarder ou acheter, ça mérite toujours un coup d'œil.

L'architecture

Réalisé par Gustave Eiffel, le Bon Marché a été rénové par la décoratrice Andrée Putman, qui a dessiné l'escalier roulant central, aux lignes très sobres. Le Printemps, tel un énorme paquebot, abrite une coupole en verre de 20 m de diamètre et 16 m de haut, posée en 1923. Les Galeries Lafayette ont également une extraordinaire double coupole à travers laquelle joue la lumière. Les différents bâtiments de la Samaritaine formaient une

passionnante anthologie de l'architecture commerciale de 1900 à 1930. Le magasin principal, côté Seine, a même la plus belle façade de style Art déco de la capitale. Il a été construit en 1928 par Frantz Jourdain et Henri Sauvage. En 1932, le magasin 3 (devenu Etam ; à l'angle de la rue de Rivoli et de la rue Boucher) a été reconstruit en matériaux préfabriqués en à peine six mois, sans que la vente s'interrompe à l'intérieur.

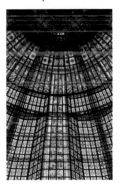

COORDONNÉES

Au Bon Marché
22, rue de Sèvres, 75007
Printemps
64, bd Haussmann, 75009
Galeries Lafayette
40, bd Haussmann, 75009
BHV
52, rue de Rivoli, 75004

Visiter **mode d'emploi**

Pour se déplacer en ville

Le métro

C'est le moyen le plus rapide et le plus facile à utiliser grâce à des plans précis et une signalisation claire ; les 380 stations débouchent rarement à plus de 500 m de l'endroit où l'on souhaite se rendre. Seize lignes numérotées et de nombreuses correspondances, permettant de passer de l'une à l'autre, offrent une véritable toile d'araignée souterraine.

SE REPÉRER

Grâce aux repères qui vous sont indiqués à côté de chacune des cartes du chapitre Visiter, retrouvez toutes les balades sur le plan général détachable situé en fin de guide.

Le métro fonctionne de 5h30 à 0h30 et n'offre qu'une seule classe. Les tickets sont valables sur tout le réseau du métro, et coûtent 1,4 € à l'unité (un carnet de 10 tickets coûte 10,70 €). On peut les acheter aux guichets du métro, dans les tabacs ou à l'office de tourisme.
À noter : les enfants de moins de 4 ans ne payent pas ; de 4 à 10 ans, ils bénéficient du demi-tarif (métro et bus), mais les tickets ne peuvent être achetés qu'en carnet (5,35 €). La formule au forfait avec un nombre illimité de voyages est très intéressante. Il s'agit de Mobilis un jour, à 5,40 € ; Paris Visite, un, deux, trois ou cinq jours (de 8,35 à 26,65 €) offre en plus une réduction sur l'entrée de certains sites.

Le bus

Si l'on évite les heures de pointe, le bus est idéal pour

découvrir la ville. Il existe 75 lignes sans compter le PC (Petite Ceinture) qui fait le tour de Paris par les Boulevards extérieurs. Ils circulent tous du lundi au samedi de 7h à 20h30 ou 0h30, selon les lignes, mais prenez garde le dimanche et les jours fériés car certains ne fonctionnent pas ou seulement en service partiel.
La nuit, à partir de 0h30 jusqu'à 5h/5h30, les Noctiliens prennent le relais. Une vingtaine de lignes dessert les points principaux de Paris avec un temps de passage d'une demi-heure environ. On y accède librement avec la carte Paris Visite et Mobilis, sinon il faut compter un ticket par trajet sans correspondance.
Pour voir les principaux monuments, le bus à impériale de l'Open Tour est parfait. Il circule tous les jours de 9h à 19h et propose quatre

RENSEIGNEMENTS RATP ET SNCF

Vous pouvez vous rendre place de la Madeleine pour glaner toutes sortes de renseignements RATP. Sinon, vous pouvez interroger le serveur vocal au ☎ 0 892 68 77 14, ou le site internet www.ratp.fr Pour les renseignements SNCF/RER, contactez le ☎ 0 891 36 20 20.

circuits commentés différents. À condition d'avoir un passe de un ou deux jours que vous pouvez acheter à bord (25 et 28 €), il est possible de monter et descendre autant de fois que vous le désirez pour visiter à votre rythme. La carte Paris Visite vous fait bénéficier d'un tarif réduit. Compter entre 15 et 20 min entre chaque passage (informations : Open Tour, 13, rue Auber, 75009, M° Opéra ☎ 01 42 66 56 56 ou www.paris-opentour.com).

Le taxi

On le prend à une station signalée par un panneau « taxi » ou on le hèle dans la rue. Lorsque le taxi est libre, l'enseigne sur son toit est éclairée. Un taxi peut vous refuser si vous êtes plus de trois personnes ivre ou accompagné d'un animal (sauf les chiens d'aveugle, qu'il est obligé d'accepter). Une prise en charge de 2 € est automatiquement inscrite au compteur en début de course. Il vous sera facturé un supplément de 0,7 € pour le transport d'un animal et au départ des gares, et 0,9 € par bagage de plus de 3 kg. On paye en espèces et, en général, on laisse un pourboire, sauf si le chauffeur est particulièrement désagréable.

Bien entendu, on peut aussi commander un taxi par téléphone :

Taxis Bleus
☎ 0825 16 10 10

G7
☎ 01 47 39 47 39

Taxis 7000
☎ 01 42 70 00 42

Alpha-Taxis
☎ 01 45 85 85 85

En voiture ?

Conduire à Paris n'est pas de tout repos si vous n'êtes pas habitué à la circulation et si vous connaissez mal votre chemin… et se garer relève parfois des *Coulisses de l'exploit*.

Les contractuels, en tenue marine, gansée de rouge, veillent avec leurs carnets à souches !

S'il est formellement interdit

ADRESSES ET NUMÉROS UTILES

Police : ☎ 17
Pompiers : ☎ 18
Samu : ☎ 15
Sos médecins :
☎ 01 43 37 77 77
Sos dentaire :
☎ 01 43 37 51 00
Sos optique
– lunettes cassées :
☎ 01 48 07 22 00
Pharmacie
Les Champs :
84, av. des Champs
Elysées, 75008
T l j 4h/24
☎ 01 45 62 02 41
Pharmacie des
Halles :
10, bd Sébastopol,
75004
Lun.-sam. 9h-minuit,
dim. 9h-22h
☎ 01 42 72 03 23
Renseignements :
☎ 118 218 (0,90 €/
appel ; mise en
relation, nombre
de renseignements
illimité, avec envoi
par SMS d'infos
pratiques).
Objets trouvés :
36, rue des Morillons,
75015
Lun.-jeu. 8h30-17h,
ven. 8h30-16h30
☎ 08 21 00 25 25
(0,12 €/min).

de se garer dans certaines rues (les fameux axes rouges), la plupart autorisent le stationnement payant, qui redevient gratuit les samedis s'il y a une pastille jaune sur les horodateurs, sinon les dimanches et jours fériés. La grande majorité des horodateurs fonctionnent dorénavant avec la Paris Carte (à 10 ou 30 €) à acheter dans les bureaux de tabac.

Les parkings souterrains quant à eux sont assez chers. Si, en sortant d'un musée ou d'un café, vous ne retrouvez plus votre véhicule, téléphonez à la fourrière (☎ 01 55 76 20 80 / 00). Encore un conseil : achetez un bon plan avant de partir ou dès votre arrivée.
Et pour faire le plein 24h/24, rendez-vous à :
BP France, 151, rue de la Convention, 75015, ☎ 01 48 28 12 62 ; ou **Total**, av. des Champs-Élysées, parking George-V, 75008, ☎ 01 56 52 00 00.

À vélo

Depuis quelques années, la municipalité a beaucoup fait en faveur des cyclistes : voies cyclables en sites propres, couloirs aménagés et rues réservées (comme les quais de Seine) les dimanches de fin mars à début octobre.
Vous aussi, découvrez la capitale à vélo. Attention cependant, les automobilistes ne vous feront pas de cadeau. Pensez aussi que certains jours, la qualité de l'air est mauvaise et que le port d'un masque antipollution peut être utile.
Paris à vélo, c'est sympa
22, rue Alphonse-Baudin, 75011, ☎ 01 48 87 60 01, www.parisvelosympa.com
Paris vélo Rent a Bike
2, rue du Fer-à-Moulin, 75005 ☎ 01 43 37 59 22 www.paris-velo-rent-a-bike.fr

Poster, téléphoner

Les timbres s'achètent dans les postes (f. sam. à partir de 12h et le dim.) ou bureaux de tabac. Vous trouverez dans les rues de nombreuses boîtes à lettres jaunes. L'heure de la dernière levée y est indiquée. Dans les postes, elle se situe vers 18h, et, au bureau du

Louvre, qui reste ouvert 24h/24, les derniers courriers pour la province et l'étranger partent à 20h, pour Paris à 22h. Poste du Louvre 52, rue du Louvre, 75001, ☎ 01 40 28 76 00.
Pour appeler votre famille, des cabines publiques fonctionnent avec une télécarte ou une carte à puce, la communication vous coûtera moins cher que depuis votre chambre d'hôtel.

Change

Il s'effectue dans la plupart des banques (souvent fermées le samedi et toujours le dimanche) et dans les bureaux de change. Il existe aussi des officines de change ouvertes même le dimanche dans les quartiers touristiques, par exemple :
Travelex, 8, pl. de l'Opéra, 75009, ☎ 01 47 42 46 52, ouv. lun.-sam. 9h-19h30, dim. 10h30-17h30.

Sites et monuments

La plupart des musées et des monuments sont le plus souvent ouverts de 10h à 18h, six jours sur sept sauf certains jours fériés. Les plus petits musées ferment à l'heure du déjeuner, mieux vaut se renseigner. Pensez aussi que les caisses des musées ferment 1/2h, voire 1h, avant l'horaire de fermeture effectif.
Les musées nationaux ferment le mardi (sauf le musée d'Orsay f. lun.) et l'entrée y est gratuite le 1er dimanche du mois. Les musées de la Ville de

Paris ferment le lundi.
La carte Musées-Monuments fait office de coupe-file et donne libre accès à 70 musées et monuments de Paris et d'Île-de-France. Pour une journée, il vous en coûtera 18 €, 36 € pour 3 jours et 54 € pour 5 jours.
On l'achète aux guichets des musées, des monuments, à l'office de tourisme et aux guichets de la RATP.
Pour introduire votre visite de Paris, le film d'Explore Paris ! retrace en 50 min, sur un écran panoramique et à l'aide d'images d'archive, toute l'histoire de Paris depuis ses origines. Des maquettes tactiles en volume et en couleur de la capitale vous aideront à situer les différents monuments. (tarif 10 €).
Explore Paris !
11 bis, rue Scribe, 75009
☎ 01 42 66 62 06
www.exploreparis.fr

Les bateaux-mouches

Il faut tout faire, y compris, au moins une fois dans sa vie, une balade en bateau-mouche, idéal par beau temps ou pour dîner aux chandelles, en tête à tête avec les plus beaux monuments de Paris.
Compagnie des bateaux-mouches, 75008,
Pont de l'Alma, Rive droite,
☎ 01 42 25 96 10.
Vedettes du Pont-Neuf,
île de la Cité, square du Vert-Galant, 75001
☎ 01 46 33 98 38.
Bateaux parisiens
au pied de la tour Eiffel, port de la Bourdonnais,
☎ 01 44 11 33 55/44.
Et pour des balades sur le canal Saint-Martin :

Canauxrama Canal Saint-Martin, port de l'Arsenal,
☎ 01 42 39 15 00.

Laissez-vous guider

Vous pourrez par exemple faire le tour de Paris en autocar en quelques heures :
Paris-Vision
214, rue de Rivoli, 75001
M° Tuileries
☎ 01 42 60 31 25
www.parisvision.com
Les Cars Rouges
17, quai de Grenelle, 75015
M° Bir-Hakeim
☎ 01 53 95 39 53
www.carsrouges.com

Cityrama
2, rues des Pyramides, 75001
M° Tuileries ou Palais-Royal
☎ 01 44 55 60 00 (rés.) / 61 00 (std), www.cityrama.fr
Pour profiter autrement de Paris, contactez l'Agence Paris International ou le Centre des Monuments nationaux :
Agence Paris International
65, rue Pascal, 75013
M° Gobelins
☎ 01 43 31 81 69
www.paris-tours-guides.com
Centre des Monuments nationaux, 7, bd Morland, 75004, M° Quai-de-la-Rapée
☎ 01 44 54 19 30 (rens. visites et conférences)
www.monum.fr

Visiter Paris
et ses incontournables

Pour faciliter votre découverte de la ville, nous vous proposons 17 balades dans Paris, toutes illustrées par une carte. Si vous disposez de peu de temps, voici une sélection de 14 incontournables, à ne manquer sous aucun prétexte. Ils sont tous évoqués au fil du guide et vous les retrouverez aussi, de manière plus détaillée, sous forme de fiches, à la fin du chapitre Visiter.

Tour Eiffel

Avec ses 318,70 m de haut, il s'agit du monument le plus connu de Paris. De la galerie panoramique, vous pourrez par temps clair contempler toute la capitale.

Voir visite n° 17, p. 66 et Incontournable p. 68.

Jardin des plantes et Muséum d'histoire naturelle

Un jardin qui concentre musée, galeries de paléontologie et de cristaux géants, des serres, la ménagerie la plus ancienne d'Europe, des jardins alpin, botanique, une roseraie…

Voir visite n° 12, p. 57 et Incontournable p. 69.

Musée d'Art moderne

Ce musée présente des œuvres des principaux courants artistiques du XXᵉ s.

Voir visite n° 17, p. 67 et Incontournable p. 70.

Arc de Triomphe

À voir pour le point de vue étonnant sur les douze avenues qui dessinent une étoile autour de l'Arc et sur la voie triomphale allant du Louvre à la Défense.

Voir visite n° 2, p. 36 et Incontournable p. 71.

Le Louvre

Ce musée comptant parmi les plus grands au monde renferme des trésors à ne rater sous aucun prétexte.

Voir visite n° 6, p. 44 et Incontournable p. 72.

Basilique du Sacré-Cœur de Montmartre

Un sacré monument avec un sacré point de vue sur la capitale, que ce soit du parvis ou, mieux, de la coupole !

Voir visite n° 1, p. 34 et Incontournable p. 73.

Les Invalides

Un bâtiment somptueux où se trouvent le tombeau de Napoléon et différents musées.

Voir visite n° 16, p. 64 et Incontournable p. 74.

Musée d'Orsay

Loin de se limiter aux œuvres impressionnistes, le musée d'Orsay nous présente un panorama de toutes les formes d'art de 1848 à 1914.

Voir visite n° 6, p. 45 et Incontournable p. 75.

Cathédrale Notre-Dame

Ce chef-d'œuvre de l'art gothique vous émerveillera par sa majesté et sa richesse.

Voir visite n° 10, p. 53 et Incontournable p. 76.

Musée du Quai-Branly

Un nouveau musée qui accueille les arts d'Afrique, d'Asie, d'Océanie et des Amériques.

Voir visite n° 17, p. 67 et Incontournable p. 77.

Centre Georges-Pompidou

Avec un musée, des expositions temporaires et une grande bibliothèque, le centre Pompidou a pour but de rendre l'art contemporain accessible à tous.

Voir visite n° 7, p. 47 et Incontournable p. 78.

Place des Vosges

Il s'agit sûrement de la plus belle place de Paris. Située en retrait des grandes artères parisiennes, c'est également l'une des plus calmes.

Voir visite n° 8, p. 48 et Incontournable p. 79.

Musée Carnavalet

Consacré à l'histoire de la capitale et à l'évolution des intérieurs parisiens, ce musée possède une impressionnante collection d'objets d'art.

Voir visite n° 8, p. 49 et Incontournable p. 80.

Musée Picasso

Dans une somptueuse demeure du Marais, ce musée retrace la carrière de Pablo Picasso. Tableaux, objets d'art, sculptures… Une collection unique

Voir visite n° 8, p. 49 et Incontournable p. 81.

Musée d'Orsay

1

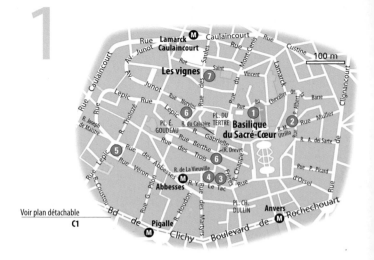

Voir plan détachable
C1

La butte Montmartre

Montmartre a des allures de village animé jusque tard dans la nuit et durant le week-end. Si on prie beaucoup sur la Butte depuis le Moyen Âge, on y célèbre aussi depuis le XIXe s. la vigne, le vin, la musique et les arts dans les cabarets et les ateliers du Bateau-Lavoir. Ici, saint Denis, premier évêque de Paris, aurait été décapité en 250, Toulouse-Lautrec dessina la Goulue, Picasso inventa le cubisme en 1907 avec ses *Demoiselles d'Avignon*.

❶ La basilique du Sacré-Cœur★★★

Voir Incontournable p. 73
M° Abbesses ou Anvers et prendre le funiculaire
☎ 01 53 41 89 00
Basilique : t. l. j. 6h-22h30, accès libre
Dôme pour le panorama sur Paris et crypte : 9h15-17h30
Accès payant.

Après la tour Eiffel, la basilique du Sacré-Cœur est le point le plus élevé de la capitale, offrant un magnifique panorama depuis le parvis ou du dôme. C'est aussi un lieu de recueillement où l'on prie jour et nuit pour l'Église et le monde entier.

❷ La rue Maurice-Utrillo★★

Les escaliers de la rue Maurice-Utrillo sont parmi les plus beaux de la Butte et pour profiter au mieux des points de vue qu'ils offrent, mieux vaut les prendre en descente. En haut le Sacré-Cœur, à droite les jardins qui montent vers la basilique, en bas sur la rue Paul-Albert une placette bordée de petits restaurants et de cafés. Le soir leurs terrasses sont éclairées de guirlandes d'ampoules multicolores vous plongeant dans une ambiance festive d'autrefois.

❸ Gaspard de la Butte★★

10, rue Yvonne-Le Tac, 75018
☎ 01 42 55 99 40
Mar.-dim. 11h-19h.

Catherine Malaure habille les enfants de 0 à 6 ans et les femmes. Vous trouverez des vêtements charmants aux formes simples et aux couleurs vives et chaudes comme le violet, le jaune ou même le marron. Il n'est pas question de petits transformés en grands mais d'originalité en série limitée. Le body sérigraphié est à 22 € et le sweat à capuche à 39 €.

❹ Le Quotibau★★

16, rue Yvonne-Le Tac, 75018
☎ 01 42 52 06 05
Lun. 15h-20h, mar. et jeu.-dim. 11h-20h ; f. 15 jours en août.

Le Quotibau, un quotidien plus beau ! Dans cette boutique, François cherche à faire connaître les créateurs français. Ce sont des luminaires design, mais aussi de très belles maroquineries aux couleurs acidulées, de la papeterie assortie à des stylos fantaisie. Des sacs Matlama où la matière détournée crée des effets inattendus. On y trouve des petits cadeaux à partir de 10 € et des sacs inédits à partir de 70 €.

❺ Appellation d'origine, épicerie du terroir★

26, rue Lepic, 75018
☎ 01 42 62 94 66
T. l. j. 9h30 à 20h ; f. 1er janv.

Ce magasin de spécialités régionales rassemble des produits artisanaux issus des six coins de la France ! Ce sont plus 50 variétés de confitures, du nougat, des bonbons multicolores, tout est élaboré selon des recettes anciennes et traditionnelles. Ce sont des petits producteurs triés sur le volet qui font leur foie gras, leur charcuterie dans le Cantal ou en Corse… de quoi apprécier la richesse du terroir français.

❻ De place en place, d'escalier en escalier…★★

Dès la sortie du métro, sur la place des Abbesses, on perçoit le charme « bohème » de Montmartre. Des petits immeubles anciens, des rues pavées et tortueuses bordées d'échoppes, des escaliers qui montent vers la Butte, des points de vue étonnants… Prenez la rue de La Vieuville et jetez un œil sur les boutiques de créateurs. Grimpez les escaliers de la rue Drevet puis de la rue du Calvaire pour rejoindre la place du Tertre où vous attendent rapins et caricaturistes et… les meilleures moules frites de Paris !

❼ LES VIGNES

Autrefois, une bonne part de la Butte était couverte de vignobles et les vignerons pressaient leur raisin au couvent des Abbesses. En 1933, un petit carré de terre est sauvé de l'urbanisation et planté de 1 900 ceps, dont 75 % de gamay. En octobre, on fête les vendanges à Montmartre et des 1 000 kg de grappes cueillies on tire 1 700 bouteilles de 50 cl ! Depuis 1996, on travaille à l'amélioration de ce vin qui désormais est consommable.

¶ 10, rue des Saules, entrée libre.

2

Les Champs-Élysées :
la plus belle avenue du monde

À la fin du XVIIe s., les Champs-Élysées n'étaient qu'un terrain vague sur lequel Le Nôtre fit planter des arbres pour agrandir la perspective des Tuileries. Sous le Second Empire on s'y montrait dans un défilé incessant de voitures à cheval. Les femmes exhibaient leurs toilettes et leurs bijoux. Aujourd'hui plus populaire, bordée de cinémas et de galeries marchandes, elle fait partie de la fameuse perspective historique qui relie le Louvre au quartier de la Défense.

❶ L'arc de Triomphe★★★

Pl. Charles-de-Gaulle, 75008
☎ 01 55 37 73 77
T. l. j. 10h-23h avr.-sept., 10h-22h30 oct.-mars ; f. 1er janv., 1er mai et 25 déc.
Entrée payante
Voir Incontournable p. 71.

En 1806, Chalgrin en dessina les plans pour Napoléon Ier, qui voulait un monument à la mesure de sa Grande Armée, mais les travaux ne furent achevés qu'en 1836 par Louis-Philippe. Sous cet arc de 50 m

de haut orné de hauts-reliefs, dont la *Marseillaise* exécutée par Rude, brûle la flamme du Soldat inconnu en mémoire des morts de la Première Guerre mondiale. Depuis la plate-forme, on a le plus beau point de vue sur les Champs-Élysées et la place de l'Étoile d'où rayonnent 12 avenues.

❷ Louis Vuitton★★

101, av des Champs-Élysées, 75008
☎ 01 53 57 52 00
www.louisvuitton.com
Lun.-sam. 10h-20, dim. 13h-19h.

La maison des Champs-Élysées du célèbre malletier français est une promenade chic. Éric Carlson et Peter Marino ont imaginé un espace ouvert, fait de terrasses où l'on découvre sacs, vêtements, montres et bien sûr tout ce qui tourne autour de l'art de voyager. On y admire aussi les œuvres d'artistes contemporains.

❸ Ladurée★★

75, av. des Champs-Élysées, 75008
☎ **01 40 75 08 75**
www.laduree.fr
T. l. j. 7h30 à minuit.

Jacques Garcia a réalisé un décor dans le style « cocotte » du Second

Empire, qui aurait pu être celui de la Païva. Un décor exubérant pour faire une pause autour d'une assiette aux saveurs raffinées, ou déguster les fameux macarons de saison au poivre de Java ou à la menthe glaciale, par exemple.

❹ Le Grand Palais★★

3, av. du Général-Eisenhower, 75008
☎ **01 44 13 17 30**
www.rmn.fr
Pendant les expositions, t. l. j. 10h-20h (mer. 22h) ; f. mar., 1er mai et 25 déc.

Ce bâtiment de pierre, de fer et de verre, mesurant 240 m de long pour 45 m de haut, fut édifié pour l'Exposition universelle de 1900 par les architectes Deglane, Louvet et Thomas. Consacré à la « gloire de l'art français », les plus grands artistes du XXe s y exposèrent. Aujourd'hui, des expositions temporaires internationales y sont organisées ainsi que la Foire internationale d'art contemporain.

❺ Le Petit Palais★★

Musée des Beaux-Arts de la Ville de Paris, av. Winston-Churchill, 75008
☎ **01 53 43 40 00**
Mar.-dim. 10h-18h ; f. j. f. Accès gratuit aux collections permanentes, payant pour les expositions temporaires.

Pendant du Grand Palais et construit par Charles Girault pour l'Exposition universelle de 1900, il abrite depuis 1902 le musée des Beaux-Arts de la Ville de Paris. Ses collections offrent un large éventail de la création artistique depuis l'Antiquité jusqu'au XXe s. avec pour point fort le XIXe s. représenté par Ingres, Delacroix, Courbet, Carpeaux, Cézanne, les peintres de Barbizon et des

impressionnistes. Dans le jardin intérieur, un agréable café-restaurant.

❻ La place de la Concorde★★★

Les chevaux de Marly sculptés par Coustou au XVIIIe s., vous accueillent sur la place de la Concorde. Jacques-Ange Gabriel l'aménagea entre 1755 et 1775 et la borda au nord par deux bâtiments abritant l'Hôtel Crillon et l'Hôtel de la Marine. Elle fut « complétée » par Hittorff au XIXe s. C'est là, près du jardin des Tuileries, que furent guillotinés Louis XVI et Marie-Antoinette. Au centre, l'obélisque du temple de Louxor offert par l'Égypte en 1831, deux fontaines représentant la navigation fluviale et maritime, et huit statues de villes françaises.

❼ LE PALAIS DE L'ÉLYSÉE

Le long de l'avenue de Marigny se cache le palais de l'Élysée. Premier hôtel particulier construit « hors les murs » dans les pâturages du faubourg Saint-Honoré, il connut d'illustres propriétaires telle la marquise de Pompadour. Depuis 1848 il est assigné au président de la République et devient en 1873 le palais officiel des chefs de l'État. Lors des Journées du patrimoine il ouvre ses portes, mais armez-vous de patience, la file est longue…,

55, rue du Faubourg Saint-Honoré, 75008
☎ **01 42 92 81 00.**

3

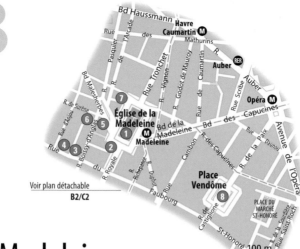

Voir plan détachable
B2/C2

100 m

La Madeleine
et le faubourg Saint-Honoré

Entre la place de la Madeleine, la place Vendôme et la place de la Concorde, Paris étale sa richesse architecturale mais aussi son savoir-faire en matière de luxe. Ces grandes places vont permettre le développement de la ville vers le nord. Ainsi la très chic rue Royale n'est plus un sentier traversant un marais et le faubourg Saint-Honoré, un terrain vague !

❶ Église de la Madeleine★

T. l. j. 10h-18h.

Que de tribulations pour cette église qui, commencée en 1763, ne sera achevée qu'en 1842 et verra ses plans évoluer, ses travaux interrompus par la Révolution, sa fonction modifiée passant du statut d'église à celui de temple et *vice versa*. Finalement elle est en parfait accord avec le palais Bourbon situé dans la perspective de la rue Royale. Pour la petite histoire, la

Marie-Madeleine représentée à droite dans le fronton du Jugement dernier, choqua par son « œil ardent » et ses « vêtements impudiques »…

❷ Le village royal★

Cette ruelle piétonne s'ouvre au 25, rue Royale, et offre une agréable promenade shopping parmi des boutiques de luxe comme Chanel, Dior, Smuggler, Anne Fontaine, Barbour. Pour les aventuriers chic, Napapijri Geografic propose sa gamme

de vêtements sportswear élégants versions homme, femme, enfant.

❸ Hermès★★★

24, rue du Faubourg-Saint-Honoré, 75008
☎ 01 40 17 47 17
Lun.-sam. 10h30-18h30.

Tout est à voir chez Hermès, y compris, avant même d'entrer, les vitrines, toujours

éblouissantes. Jetez aussi un œil sur les différents rayons : la sellerie, la maroquinerie, la bijouterie, la mode. Plaids et carrés, sacs et bottes : Hermès se décline d'un étage à l'autre au rythme de ses collections. On pourrait y passer des heures. Le traditionnel carré coûte 250 €, mais un très joli jeu de tarots ne vous coûtera que 40 €.

❹ Lancôme★★

29, rue du Faubourg-Saint-Honoré, 75008
☎ 01 42 65 30 74
Lun.-sam. 10h-19h.

C'est ici que vous trouverez tous les produits et parfums Lancôme et surtout les Exclusivités, celles que vous ne trouverez nulle part ailleurs. Au premier étage, que vous soyez homme ou femme, l'institut vous accueille pour des soins du corps et du visage, des soins polysensoriels, jouant sur la couleur, l'aromathérapie, les massages de galets ou les vibrations de la note *la*. De quoi se mettre au diapason.

❺ L'Envue★

39, rue Boissy-d'Anglas, 75008
☎ 01 42 65 10 49
Lun.-sam. 7h30-2h ;
en août f. sam.
Une pause plutôt cosy dans ce lieu aux allures de lounge

bar avec ses tables basses et ses gros fauteuils. Comptez 20 à 22 € pour les « envues », ces copieuses assiettes composées. Pour vous donner une idée, l'assiette « mer » se compose d'une cassolette de gambas et coques, d'un parterre de saumon, de tranchettes de bar mariné à la sarriette et d'un petit bateau de cabillaud au curry… et la carte change souvent pour de nouvelles sensations gustatives.

❻ Territoire

30, rue Boissy-d'Anglas, 75008
☎ 01 42 66 22 13
Lun.-sam. 10h30-19h ;
f. sam. en août.
L'endroit, avec sa façade de bois, est classé ; c'était l'ancien hôtel de Lully. On y trouve de tout, comme dans les vieux

bazars de nos grands-parents : des livres et des vêtements ; des jeux et de la papeterie ; de la vaisselle et de la vannerie…

❽ La place Vendôme★★★

Jules Hardouin-Mansart, architecte de Versailles, réalisa cette somptueuse place octogonale entre 1685 et 1699. Elle devait être

bordé de bâtiments officiels, mais, faute de moyens, ils furent remplacés par des hôtels. En 1804, Napoléon fit fondre 1 200 canons pris à l'ennemi lors de la bataille d'Austerlitz, et éleva une colonne similaire à celle de Trajan à Rome, mais célébrant cette fois les hauts faits de la Grande Armée. Aujourd'hui, les plus grands joailliers, Chaumet, Boucheron, Cartier, Mauboussin, Van Cleef & Arpels et Mellerio se sont donné rendez-vous ici et rue de la Paix.

❼ HÉDIARD★★

Il suffit de franchir le seuil pour être ailleurs, pris par les senteurs, les couleurs et les goûts. Hédiard a fait peau neuve et joue les grands comptoirs, les voyages lointains. À l'étage, dans le salon de thé, le décor hésite entre années 1920 et paquebots transatlantiques.
21, pl. de la Madeleine, 75008, ☎ 01 43 12 88 88
Lun.-sam. 9h-21h.

4

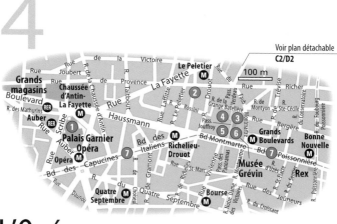

L'Opéra
et les Grands Boulevards

C'est le Paris de Napoléon III et des grands projets architecturaux, celui des travaux d'Haussmann, celui de la bourgeoisie aisée qui profite de la vie et de ses plaisirs. Le commerce bat son plein, les passages sont de parfaits lieux de promenade les jours de pluie. Le Grand Café de Paris organise la première projection cinématographique des films des frères Lumière…

❶ L'Opéra Garnier★★★

Place de l'Opéra, 75009
☎ 01 40 01 17 89
T. l. j. 10h-16h30
Accès libre. Salle de spectacle fermée durant les répétitions, un tampon sur votre billet vous permet de revenir quand vous voulez.

Ce fut Charles Garnier, jeune architecte alors inconnu, qui remporta le concours lancé par Napoléon III pour l'édification d'un nouvel opéra. Malgré de nombreuses interruptions lors de la construction, l'inauguration aura lieu en 1875. Les ors, les marbres de couleur, les stucs et les sculptures, les velours cramoisis reflètent le luxe du style Second Empire.

Le plafond de la salle de spectacle est une fresque de Chagall évoquant les plus grands opéras et ballets.

❷ Le quartier Drouot★★

Autour de l'hôtel des ventes de Drouot s'est créé un quartier

d'antiquaires concentré essentiellement dans les rues de Provence, de la Grange-Batelière, dans le passage Verdeau et la rue Rossini. Il règne ici une activité fébrile de transactions, on croise des brocanteurs et des antiquaires transportant des meubles,

des objets de déco, ou discutant au comptoir d'un café.
Ici les portes des magasins sont toujours ouvertes.

❸ Les cannes de Gilbert Segas★★

34, passage Jouffroy, 75009
☎ 01 47 70 89 65
Mar.-sam. 11h30-18h30 ;
f. en août.

Passé la porte, Gilbert Segas vous accueille dans un décor de théâtre et vous fait découvrir toute l'originalité de ses cannes anciennes. Il y a celles en vertèbres de requin, apanage des capitaines ayant passé le cap Horn, celles taillées dans les tranchées par les poilus, celles qui se transforment en instrument de musique, celles qui racontent

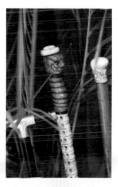

des faits historiques… bref elles sont toutes des œuvres d'art à leur manière.

❹ Pain d'épices★★

29/31, passage Jouffroy, 75009
☎ 01 47 70 08 68
www.paindepices.fr
Lun., 12h30-19h, mar.-sam. 10h-19h (jeu. 21h).

Voilà une boutique qui fait le bonheur des petits enfants car on y trouve toutes les miniatures pour aménager une maison de poupée ou le paysage d'un chemin de fer. Papier peint, tapis, luminaires,

pots de fleurs pour orner les fenêtres, mais aussi meubles, bottes en caoutchouc à ranger près du portemanteau, couverts et assiettes, arbres… Un monde de lilliputiens ! À côté de cela, rééditions de jouets anciens en bois et peluches bien sûr.

❺ Le Café Zéphyr★

12, Bd Montmartre, 75009
☎ 01 47 70 80 14
Lun.-sam. 8h-2h,
dim. 8h-20h30.

À l'angle des Grands Boulevards et du passage Jouffroy, ce café toujours animé vous propose des salades, des plats du jour (13,50 €) cuisinés avec de délicieux produits du terroir français. Dans la musette du bougnat de Tizi Ouzou, craquez pour la truffade auvergnate (pommes de terre et cantal fondu), l'une des meilleures de Paris.

❻ Musée Grévin★

10, bd Montmartre, 75009
☎ 01 47 70 85 05
www.grevin.com
Lun.-ven. 10h-18h, sam.-dim. et j. f. 10h-19h
Accès payant.

En 1882, le musée Grévin ouvre ses portes sur l'initiative du journaliste Arthur Meyer qui eut l'idée de créer un lieu où les personnalités de l'époque seraient représentées en cire. Dans cette entreprise, il se fait aider par le caricaturiste Alfred Grévin. Le succès est immense et, en cent vingt ans, plus de 2 000 personnages se sont succédé ! Stars du cinéma, célébrités de la politique, de la mode, de l'histoire, de la chanson sont représentées avec un réalisme troublant.

❼ LES GRANDS BOULEVARDS★

Vers 1750, le « Boulevard », cette grande promenade bordée d'arbres aménagée à l'emplacement des murailles de l'enceinte de Charles V, connaît un franc succès. De l'Opéra Garnier à la République, la bourgeoisie chic et à la mode s'y montre et s'y amuse. Tout y est léger, on y trouve toutes sortes de divertissements comme le théâtre, le cirque, les bals… C'est l'esprit « boulevard ».

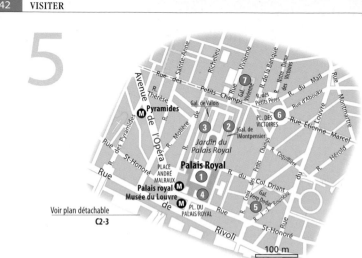

5

Voir plan détachable
C2-3

100 m

Le Palais-Royal

Il suffit de passer les grilles du Palais-Royal pour oublier comme par magie le bruit et la fureur de la ville. Pourtant ce lieu ne fut pas toujours aussi tranquille, il abrita sous ses arcades tripots, bordels, prostituées, beaux esprits, artistes et révolutionnaires harangueurs. On y lisait en toute liberté les livres censurés de Voltaire et Rousseau car la police n'avait pas le droit de cité sur ce domaine princier !

❶ Le Palais-Royal★★★

Pl. du Palais-Royal, 75001.
En 1624, Richelieu construisit ce magnifique hôtel couplé à un grand théâtre ; l'ensemble prit le nom de Palais-Royal quand Anne d'Autriche, devenue régente, s'y installa avec ses enfants. Sous Louis XIV, Monsieur, frère du roi, y organisa ses célèbres « soupers » libertins. Quand Philippe d'Orléans habita le Palais-Royal vers 1760, afin d'augmenter ses revenus, il fit construire sur les trois côtés du jardin des immeubles de rapport avec sous les arcades des boutiques qu'il mit aussi en location.

❷ Les salons Shiseido★★★

142, galerie de Valois, 75001.
☎ 01 49 27 09 09
Lun.-sam. 10h-19h.
Serge Lutens a imaginé un théâtre de pourpres et de violines pour présenter les eaux de parfum exclusives de la maison Shiseido. Des panneaux peints de motifs XVIIIe s., terminés par une frise aux reliefs d'insectes, de soleils et de lunes, entourent un escalier à vis, aux flèches de bronze. Vaut le coup d'œil.

❸ Didier Ludot★★

20/24, gal. Montpensier, 75001
☎ **01 42 96 06 56**
Lun.-sam. 10h30-19h.

Didier Ludot, antiquaire de la mode, est une référence en matière de vêtements haute couture et d'accessoires vintage. Dans sa boutique, il couvre les années qui vont de 1900 à nos jours. Ce sont des petites robes qu'auraient pu porter Audrey Hepburn, Grace Kelly ou les héroïnes de Hitchcock, ce sont des manteaux des années 1970, des chaussures, des bijoux. Chanel, Dior, Balmain, Balenciaga, tous les grands noms sont représentés

❹ Le Nemours★

2, pl. Colette, gal. de Nemours, 75001
☎ **01 42 61 34 14**
Lun.-ven. 7h-minuit, sam. 9h-minuit, dim. 9h 21h.

Sous une galerie entre le Louvre, les colonnes de Buren et la Comédie-Française, le Nemours est le rendez-vous des comédiens et des amateurs d'art.

Il n'est pas rare d'y croiser des têtes connues. On s'y retrouve en terrasse autour d'une salade (12 € environ) et en fin d'après-midi ou le soir autour d'un verre après le spectacle.

❺ La Galerie Vero-Dodat★★★

19, rue Jean-Jacques-Rousseau, 75001.

Un dallage quadrillé de noir et de blanc, des vitrines courbes encadrées de cuivre, des pilastres habillés de miroirs, le passage Vero-Dodat compte parmi les plus beaux de Paris.

Ouvert en 1826, ses boutiques faisaient le bonheur des voyageurs qui attendaient la diligence. Aujourd'hui on y flâne le long des vitrines des antiquaires, des galeries, des éditeurs d'art ou de mode.

❻ La place des Victoires★★

Le maréchal de La Feuillade, désireux d'entrer dans les bonnes grâces de Louis XIV, fit aménager la place des Victoires et y dressa une statue en pied du roi réalisée par Desjardins. Pour ce faire il rasa sa propre maison et acheta les terrains attenants et demanda à Jules Hardouin-Mansard de dessiner l'ensemble. Ce dernier fut inauguré en 1686 et le maréchal se ruina dans cette entreprise. La statue brisée à la Révolution fut remplacée au XIXe s. par une statue équestre du roi sculptée par Bosio.

❼ La galerie Vivienne★★★

4, rue des Petits-Champs,
5, rue de la Banque,
6, rue Vivienne, 75002
T. l. j. 8h30-20h30.

Construite en 1823 dans un style pompéien néo-classique qui célèbre le commerce par ses fresques, ses mosaïques et ses sculptures, la galerie Vivienne a gardé sa fonction et retrouvé son faste d'antan. Avec ses boutiques de mode, dont celle de Jean-Paul Gaultier, les compositions florales d'Emilio Robba, les créations de Christian Astuguevieille… le passé se conjugue au présent. Au fait, au n° 13 habitait Vidocq, cet ancien bagnard devenu chef d'une brigade de police composée d'anciens malfaiteurs.

DES CÉLÉBRITÉS AU PALAIS-ROYAL

Dans une coutellerie de la galerie Montpensier Charlotte Corday acheta le couteau qu'elle utilisa pour poignarder Marat dans sa baignoire. Au n° 155 de la galerie de Valois, une petite boutique, Arcade Colette, par des textes, des dessins et des photos, rappelle que Colette et Jean Cocteau avaient leurs appartements donnant sur le jardin.

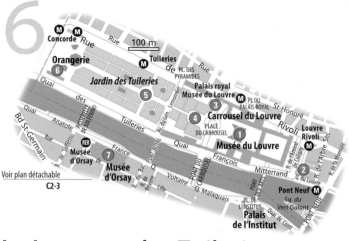

Le Louvre et les Tuileries,
d'un musée à l'autre

Vous marchez ici dans le Paris historique, celui des rois et des empereurs, là où le pouvoir et l'histoire de l'art ne font plus qu'un. Les palais sont des joyaux de l'architecture qui abritent désormais des musées aux riches collections.

❶ Musée du Louvre★★★

☎ 01 40 20 50 50
www.louvre.fr
T. l. j. sf mar. 9h-18h (mer. et ven. 21h45) ; f. 1ᵉʳ janv., 1ᵉʳ mai, 15 août et 25 déc. Entrée payante, gratuite le 1ᵉʳ dim. de chaque mois Voir Incontournable p. 72.

Forteresse médiévale et palais des rois de France, le Louvre s'est vu transformer en musée à la Révolution. Depuis, ses collections comptent parmi les plus riches du monde. Huit départements au total : les Antiquités orientales, Antiquités égyptiennes, Antiquités grecques, étrusques et romaines, les Peintures, les Sculptures, les Objets d'art, les Arts graphiques et les Arts de l'Islam.

❷ André Cador★★

2, rue de l'Amiral-de-Coligny, 75001
☎ 01 45 08 19 18
Mar.-dim. 8h30-19h30 ; f. en août.
Si vous allez chez Cador, vous déjeunerez dans un salon de

thé qui a vue sur la colonnade du Louvre et la façade de l'église Saint-Germain-l'Auxerrois. Vous y dégusterez de délicieuses tartes salées et pâtisseries maison pour 10 € environ et peut-être aurez-vous la chance d'entendre le carillon du beffroi qui fait son concert tous les mercredis à partir de 13h30.

❸ Le Carrousel du Louvre★★

99, rue de Rivoli, 75001
T. l. j. boutiques 10h-20h, restaurants 10h-23h.

Cet espace commercial qui communique avec le musée du Louvre a lui aussi sa pyramide, mais inversée cette fois. On y trouve des boutiques

chic comme Lalique, Salviati, Swarovski ou les bijoux Cécile et Jeanne, des boutiques « nature » avec L'Occitane et Nature & Découvertes, « home » avec Résonances et Bodum, « culturelles » avec Virgin Megastore ou le Studio Théâtre de la Comédie-Française… À l'étage, le Restaurama propose toutes les cuisines du monde.

❹ La voie Triomphale★★★

Il s'agit de cette immense perspective qui part de la pyramide du musée du Louvre, passe par l'arc du Carrousel, le jardin des Tuileries, remonte les Champs-Élysées, arrive à l'arc de Triomphe et se prolonge jusqu'à la Grande Arche de la Défense, soit près de 10 km ! Un alignement qui

se dessina au cours des siècles depuis l'existence du jardin des Tuileries à la Renaissance.

❺ Le jardin des Tuileries★★★

Entrées : pl. de la Concorde, rue de Rivoli, av. du Général-Lemonnier et passerelle Solferino
Hiver : 7h30-19h30 ;
été : 7h-21h.

Le plus grand et le plus ancien jardin de Paris était occupé à l'origine par des fabriques de tuiles. Marie de Médicis y fit construire le palais des « Tuileries » avec son jardin à l'italienne. Un siècle plus

tard, en 1664, Le Nôtre le redessina et le transforma en une longue perspective agrémentée de sculptures. Aujourd'hui, elles voisinent avec des œuvres contemporaines de Max Ernst, Alberto Giacometti ou Henry Moore, tandis que les enfants poussent leur bateau à voile dans le bassin.

❻ Le musée de l'Orangerie★★★

Jardin des Tuileries
☎ 01 44 77 80 07
T. l. j. 12h30-19h (ven. 21h) ;
f. mar., 1er mai, 25 déc.
Entrée payante.
Situé dans l'ancienne orangerie du jardin des Tuileries, ce musée à taille humaine vient d'être rénové. Il abrite les huit grandes compositions des *Nymphéas* offertes en 1922 par Monet, ainsi que la collection Jean-Walter et Paul-Guillaume, qui compte des tableaux de Cézanne, Renoir, Matisse, Picasso, Derain, Soutine, Modigliani, d'Utrillo, et du Douanier Rousseau…

❼ MUSÉE D'ORSAY★★★

Tout célèbre ici le XIXe s., que ce soit l'architecture de cette ancienne gare transformée en musée ou les œuvres qui y sont présentées. On peut y voir l'*Angélus* de Millet, des toiles de Degas, Renoir, Manet, Monet, Cézanne, Van Gogh, Gauguin, des œuvres pointillistes mais aussi des sculptures, du mobilier et des objets d'art de cette époque exubérante.

Parvis, 1, rue de la Légion-d'Honneur, 75007
☎ 01 40 40 48 14, mar.-dim. 9h30-18h (jeu. 21h15),
f. 1er janv., 1er mai, 25 déc. ; entrée payante
Voir Incontournable p. 75.

7

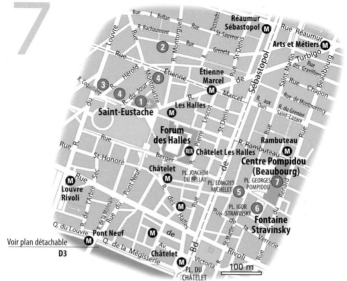

Voir plan détachable
D3

100 m

De Saint-Eustache
à Beaubourg

Autrefois les Halles, alias le « ventre de Paris », alimentaient la capitale et vivaient jour et nuit d'une activité laborieuse. Aujourd'hui le quartier se lève moins tôt, le Forum des Halles abrite des commerces de « mode » et non plus de bouche. Un peu plus loin sur le parvis du centre Georges-Pompidou, des saltimbanques font leur numéro.

❶ L'église Saint-Eustache★★

2, imp. Saint-Eustache, 75001
☎ 01 42 36 31 05
Lun.-ven. 9h30-19h, sam. 10h-19h, dim. 9h-19h15.
Un des joyaux de la Renaissance, l'église est aussi exceptionnelle par son histoire. On y baptisa Richelieu ; Louis XIV y fit sa première communion ; Colbert et Rameau y eurent leur messe de funérailles, Berlioz y donnait

la première de son *Te Deum* ; Liszt, celle de sa *Messe de Gran*. Le grand orgue est l'un des plus tuyautés de Paris, on l'écoute gratuitement tous les dimanches et les jours de fête entre 17h30 et 18h.

❷ Stohrer★★

51, rue Montorgueil, 75002
☎ 01 42 33 38 20
T. l. j. 7h30-20h30 ;
f. 1ʳᵉ quizaine d'août.

La boutique a ouvert en 1730, c'est vous dire ! Stohrer était arrivé en France dans les bagages de Marie Leszczynska, la fiancée de Louis XV, et s'était installé quelques années après rue Montorgueil, régalant Paris de ses puits d'amour et de ses Ali Baba au rhum. Un décor sucré à dévorer des yeux.

❸ Dehillerin★★

18, rue Coquillière, 75001
☎ 01 42 36 53 13
Lun. 9h-12h30 et 14h-18h,
mar.-sam. 9h-18h, en août
lun.-sam. 10h-18h.

Il vaut mieux se lever tôt
pour aller chez Dehillerin,
avant l'arrivée des nombreux
touristes. Entre un sous-sol
et un rez-de-chaussée où le
plancher grince, remplis
du sol au plafond, on trouve
tout, absolument tout, pour
la cuisine. Les ustensiles
les plus divers, les cuivres,
la fonte, l'alu, le plus grand,
le plus petit…

❺ Le café Beaubourg★

100, rue Saint-Martin, 75004
☎ 01 48 87 63 96
T. l. j. 8h-1h (2h le w.-e.).

Une frontière invisible protège
ce café de la place et de la faune
qui promène à Beaubourg son
désœuvrement. L'architecture
de Christian de Portzamparc
vieillit bien ; le temps a passé

sans démoder la colonnade
de ce temple postmoderne où
prendre un café et regarder
passer le monde.

❻ La fontaine Stravinsky★★★

Pl. Igor-Stravinsky.
Cette merveilleuse fontaine
réalisée en 1983 par Niki de
Saint Phalle et Jean Tinguely
est un hommage à Igor
Stravinsky. Constituée de
16 éléments évoquant les
compositions du musicien
comme *L'oiseau de Feu*,

cette fontaine ludique est
toute en mouvements et
jeux d'eau. Les personnages
colorés de Niki de Saint Phalle
contrastent avec les sculptures
métalliques peintes en noir
de Jean Tinguely.

❼ Le centre Georges-Pompidou★★★

Pl. Georges-Pompidou, 75004
☎ 01 44 78 12 33
T. l. j. 11h-22h ; f. mar.,
1er mai.
Voir Incontournable p. 78.

Georges Pompidou décide
de doter Paris d'un musée
d'art contemporain. Le projet
retenu et qui fera couler
beaucoup d'encre est celui
de Renzo Piano et Richard
Rogers. Contre vents et marée,
le centre ouvre ses portes en
1977 et on peut y admirer
aujourd'hui l'une des plus
importantes collections au
monde (53 000 œuvres).

❹ RUBAN, PLUMES ET PERLES…

Deux adresses à retenir et qui plus est voisines !
Mokuba (10, rue Montmartre, 75001, ☎ 01 40 13 81 41,
lun.-ven. 9h30-13h30 14h30-18h30), où vous trouverez
tous les rubans de satin, taffetas, velours, organdi dans
toutes les couleurs, des rubans à broder. **La Droguerie**
(9, rue du Jour, 75001, ☎ 01 45 08 93 27, lun. 14h-18h45,
mar.-sam. 10h30-18h45) plus « fantaisie » avec des
perles, des plumes, des boutons, des écheveaux de
laine, de lin et du bambou à tricoter (9 € les 100 g) !

8

Musée
Picasso
5

Rue du Temple
Rue Saint-Claude
Boulevard

Rue Vieille
Rue Barbette
Musée
Cognacq-Jay
7 6
Rue du Parc Royal
de

Rue
des
Musée
Carnavalet
4
Rue
Saint-Gilles
Chemin
Vert
M

100 m
Rue des Rosiers
Francs
Bourgeois
R. des Minimes

Rue Vieille du Temple
Rue
Rue du
Roi de Sicile
de
3 2
de Sévigné
Place
des Vosges
1
R. du
Pas-de-la
Mule
Beaumarchais

Rue
de
Rivoli
Fr. Miron
Saint-
Paul
M
Rue de Turenne

Voir plan détachable
D3

Rue
Saint-Antoine
Bastille
M
PLACE
DE LA
BASTILLE

Le Marais,
un musée à ciel ouvert

Au XVIIe s., le Marais connaît ses heures de gloire avec l'aménagement de la place des Vosges où se retrouve lors de grandes festivités toute la société élégante. Les hôtels particuliers se multiplient, mais la Révolution entraîne la « chute » du Marais et son abandon. Aujourd'hui ce quartier vit tard la nuit et ses boutiques branchées sont ouvertes le dimanche. Il est aussi le point de rendez-vous de la communauté gay.

❶ La place des Vosges★★★

Voir Incontournable p. 79.
Henri IV commanda en 1604 la construction de cette place comprenant 36 pavillons de brique et pierre surmontant une galerie d'arcades. Dans cette parfaite symétrie se détachent les pavillons du Roi et de la Reine qui se font face. Au n° 6, l'ancien hôtel de Rohan-Guéménée abrite le musée Victor-Hugo.

❷ Le Loir dans la Théière★★

3, rue des Rosiers, 75004
☎ **01 42 72 90 61**
Lun.-ven. 11h30-19h, sam.-dim. 10h-19h.

Lewis Carroll aurait aimé ce salon de thé avec son air de café anglais. On y lit journaux et magazines assis dans des fauteuils dépareillés autour de tables Henri II ou 1930. Expositions, tartes, pâtisseries maison, brunch le week-end et accueil sympathique !

s'ajoutent peintures, tableaux et sculptures d'artistes que Picasso appréciait, comme Braque, Cézanne, Matisse, Derain, Le Douanier Rousseau ou Miró.

❻ Musée Cognacq-Jay★★★

8, rue Elzévir, 75003
☎ 01 40 27 07 21
Mar.-dim. 10h-18h
Accès payant.

Ernest Cognacq et son épouse Marie-Louise Jay rassemblèrent au cours de leur vie des œuvres d'art du XVIIIe s. français. Cette collection offerte en 1928 à la Ville de Paris fut transférée en 1990 dans ce charmant petit hôtel du Marais. Des boiseries, du mobilier, des tableaux de Chardin et de Fragonard, des dessins, des sculptures et des bibelots meublent et décorent les pièces comme au XVIIIe s., rendant ce lieu habité.

❸ L'Éclaireur★

3 ter, rue des Rosiers, 75004
☎ 01 48 87 10 22
Lun.-sam. 11h-19h.

L'Éclaireur s'est glissé sans encombre entre les colonnes d'une ancienne imprimerie nichée sur deux étages. On y trouve une sélection d'exclusivités en prêt-à-porter féminin et des marques comme Lanvin, Givenchy… La mode est plutôt avant-gardiste ; bijoux, verrerie, objets divers sont signés.

❹ Le musée Carnavalet ^^^

23, rue de Sévigné, 75003
☎ 01 44 59 58 58
www.carnavalet.paris.fr
Mar.-dim. 10h-18h ; f. j. f.
Accès gratuit aux collections permanentes
Voir Incontournable p. 80.

On peut entrer dans la cour admirer l'un des rares hôtels Renaissance de Paris. Retrouver l'ambiance d'une demeure parisienne des XVIIe s. et XVIIIe s., passer dans les collections de la Révolution, s'arrêter devant les tableaux d'Hubert Robert ; finir par le décor 1900 imaginé par Mucha pour la bijouterie Fouquet.

❺ Musée Picasso★★★

Hôtel Salé
5, rue de Thorigny, 75003
☎ 01 42 71 25 21
www.musee-picasso.fr
Mer.-lun. avr.-sept. 9h30-18h, oct.-mars 9h30-17h30.
Accès payant
Voir Incontournable p. 81.

L'hôtel Salé, l'un des plus beaux du Marais, abrite le musée Picasso. Les œuvres présentées retracent toutes les périodes de l'artiste, la période bleue, la période rose, le cubisme. À cela

❼ CSAO★

Le Sénégal et l'Afrique de l'Ouest sont à l'honneur dans cette grande boutique où se côtoient poupées de chiffon, tissus africains, meubles en bois patiné, nattes en plastique colorées, nappes, coussins, vannerie et petit mobilier fabriqué dans des matériaux de récupération.

9, rue Elzévir, 75003
☎ 01 44 54 55 88, www.csao.fr
Lun.-sam. 11h-13h et 14h-19h, dim. 14h-19h.

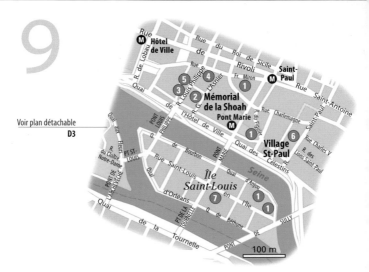

Voir plan détachable
D3

100 m

Le quartier Saint-Paul
et l'île Saint-Louis

Quand on voit toutes les jolies devantures des boutiques de créateurs ou de création du quartier, on en oublie que c'était autrefois un vaste marécage traversé par une voie romaine qui correspond aujourd'hui à la rue François-Miron. Quant à l'île Saint-Louis, c'est un village au cœur de la ville avec ses berges tranquilles et ses façades nobles donnant sur la Seine.

❶ Les hôtels particuliers★★

Un itinéraire où l'architecture le dispute à l'histoire. L'hôtel de Sens, rue du Figuier, avec ses tourelles d'entrée, d'aspect encore médiéval. La reine Margot y habita. L'hôtel de Beauvais, rue François-Miron, où Mozart vécut en 1763. L'hôtel Lambert, rue Saint-Louis-en-l'Île, où dînèrent Chopin et Delacroix. L'hôtel de Lauzun, quai d'Anjou, où écrivirent Baudelaire et Théophile Gautier.

❷ Le Mémorial de la Shoah★★

17, rue Geoffroy-l'Asnier, 75004
☎ 01 42 77 44 72
Dim.-ven. 10h-18h, jeu jusqu'à 22h ; f. j. f. et durant les fêtes juives
Accès libre.

Pour perpétuer le souvenir de la Shoah ont été gravés sur un

mur les noms des 76 000 juifs, dont 11 000 enfants, déportés et morts pour la plupart dans les camps de concentration d'Auschwitz-Birkenau, Sobibor et Lublin-Maïdanek, entre 1942 et 1944. Seulement 2 500 personnes ont survécu à leur déportation.
Un centre d'enseignement, d'échanges et de recherches est là pour dresser « un rempart contre l'oubli ».

❸ L'Ébouillanté★

6, rue des Barres, 75004
☎ 01 42 71 09 69
Mar.-dim. 12h-22h.

Sur les pavés de la rue piétonne, en plein soleil et face au chevet de Saint-Gervais, la terrasse de ce restaurant est un petit paradis très prisé dès les beaux jours ! On peut y faire une dînette à midi avec des bricks, des salades copieuses ou la formule du jour (14,50 €), prendre un thé avec une pâtisserie au goûter, et un cocktail le soir…

❹ Izrael★★

30, rue François-Miron, 75004
☎ 01 42 72 66 23
Mar.-ven. 9h30-13h et 14h30-19h, sam. 9h30-19h, f. août.

Un marchand d'épices comme on en trouve en Orient. Empilage de sacs, de caisses, de boîtes, pêle-mêle de senteurs et de couleurs : tout ce qu'on peut trouver de par le monde pour faire la cuisine et la parfumer tient miraculeusement dans cette petite boutique au sublime désordre. Un régal.

❺ Calligrane★★

4-6, rue du Pont-Louis-Philippe, 75004
☎ 01 40 27 00 74
Mar.-sam. 11h-19h, f. 1er-15 août.
Papiers du monde entier, incrustés d'écorces de bois précieux, plissés japonais, parcheminés (abat-jour sur commande), pastel, vifs ; bref, de quoi écrire en beauté.

❻ Le village Saint-Paul★

21-27, rue Saint-Paul, 75004
Jeu.-lun. 11h-19h.

Construit sur les anciens jardins du roi Charles V, le village Saint-Paul fut restauré et aménagé au cours des années 1970. Il abrite aujourd'hui un marché d'antiquités sur rue et sur cour qui regroupe nombre de boutiques proposant porcelaine, argenterie, meubles, tissus et dentelles. Une promenade à l'abri de l'agitation des rues alentour.

❼ BERTHILLON★★★

Le délice de la capitale, quel que soit le temps. On vient y déguster des glaces pour le plaisir des papilles. Des parfums selon les saisons, des parfums étonnants mais toujours excellents. Melon, fraise des bois, thym-citron, poire Williams, pêche de vigne… Laissez-vous tenter par un cornet double à 3 € !
Rue Saint-Louis-en-l'Île, vente à emporter au n° 31 et salon de thé au n° 29, ☎ 01 43 54 31 61 Mer.-sam. 10h-20h. F. de la mi-juil. à début sept. et durant les vacances scolaires.

10

L'île de la Cité,
le cœur de Paris

L'île de la Cité est le berceau de Paris. Vers 200 av. J.-C., des pêcheurs s'y installèrent et donnèrent naissance à la ville de Lutèce qui devint rapidement à l'époque gallo-romaine un centre de batellerie. En 360 elle prend le nom de Paris, en 560 Clovis en fait la capitale de son royaume devenant ainsi un centre politique, juridique, spirituel et culturel. La Conciergerie et la Sainte-Chapelle sont les vestiges du plus ancien palais royal parisien.

❶ La Conciergerie★★★

2, bd du Palais, 75001
☎ 01 53 40 60 80
www.monum.fr
T. l. j. été 9h30-18h,
hiver 10h-17h
Accès payant.

Sur le site où résidèrent les gouverneurs romains et les premiers capétiens, Philippe le Bel fit ériger, au début du XIVᵉ s., le puissant palais de la Cité considéré comme l'un des plus admirables du Moyen Âge, comme en témoignent la salle gothique des gens d'armes, la salle des gardes et les cuisines. Puis délaissé au profit du Louvre et de Vincennes, il fut transformé en prison au XVᵉ s. C'est là que durant la Terreur fut enfermée Marie-Antoinette.

❷ La Sainte-Chapelle★★★

4, bd du Palais (à l'int. du Palais de Justice), 75001
☎ 01 53 40 60 80
www.monum.fr
T. l. j. été 9h30-18h,
hiver 10h-17h
Accès payant.

Élancée, toute en légèreté avec ses murs constitués de verrières et de rosaces qui transforment la lumière, la Sainte-Chapelle est le joyau du gothique français. Saint Louis fit construire cet édifice en un temps record, entre 1241 et 1248, pour abriter les reliques de la Passion du Christ

(la couronne d'épines et un morceau du bois de la croix) qui reposent dans la chapelle haute dans une grande châsse d'argent et de cuivre doré.

❸ Place Dauphine★★★

Construite en 1607 sur un bras marécageux de la Seine, la place Dauphine fut baptisée ainsi en l'honneur du futur Louis XIII. De forme triangulaire, elle était bordée de 32 maisons dont certaines, le n° 14, ont gardé leur aspect d'origine (murs de brique et pierre, toit d'ardoise et arcades surmontées de deux étages). Complètement fermée, on accédait à la place par deux passages dont un seul subsiste, vers le Pont-Neuf.

❹ L'Âne et la Mule★

74, quai des Orfèvres, 75001
☎ 01 43 54 16 71
T. l. j. 10h-minuit ; f. mar. et lun. midi et 10 jours début sept.
Menus midi 25 €, soir 32 €.
Le charmant restaurant de Bénédicte Haon donne

d'un côté sur la Seine et l'Institut, de l'autre sur la place Dauphine. On peut y prendre un thé, mais aussi déjeuner et dîner. Sa cuisine très personnelle joue avec des saveurs originales comme une vinaigrette au thé matcha, un filet de barbue au coulis de chou-rave et en dessert des lentilles du Puy confites. Une autre de ses spécialités, la fameuse viande d'Aubrac...

❺ Le Pont-Neuf★★

Commencé en 1578 et inauguré en 1607, le Pont-Neuf est le plus vieux de Paris et il vous emballera comme Christo

l'a emballé en 1985 ! Depuis ses piles sur lesquelles sont aménagés des espaces en demi-cercle avec des bancs, on a une vue splendide sur les quais de Seine. Derrière la statue équestre d'Henri IV, un escalier mène au square romantique du Vert-Galant, surnom donné au roi qui faisait allusion à ses nombreuses conquêtes féminines.

❼ La cathédrale Notre-Dame★★★

6, pl. du Parvis Notre-Dame, 75004
☎ 01 42 34 56 10
www.cathedraledeparis.com
Cathédrale : 8h-18h, accès libre.
Les tours : oct.-mars 10h-16h45, avr.-sept. 9h30-18h15, accès payant.
Crypte archéologique : mar.-dim. 10h-17h30, accès payant
Voir Incontournable p. 76.

Une des plus belles réussites du premier gothique de la fin du XIIe s. Bien sûr, l'architecture a évolué, été complétée, modifiée tel fil des ans. Jusqu'à ce que Viollet-le-Duc, sous Napoléon III, la sauve de la ruine sans toujours en respecter l'originalité, la poésie. Du haut des tours, Quasimodo avait de Paris une vision fantastique ; avis aux amateurs, il faut monter quelque 69 mètres (accès payant). Sujets au vertige s'abstenir !

❻ LE MARCHÉ AUX FLEURS ET AUX OISEAUX★★★

À quelques minutes de Notre-Dame, au cœur de l'île de la Cité, se tient depuis 1808 le marché aux Fleurs. On y trouve de tout, des plantes, des arbustes mais aussi de bons conseils pour fleurir son balcon ou sa terrasse. Le dimanche les oiseaux remplacent les fleurs, perroquets, serins, mandarins et autres oiseaux rares vous enchanteront (voir Shopping p. 117).

11

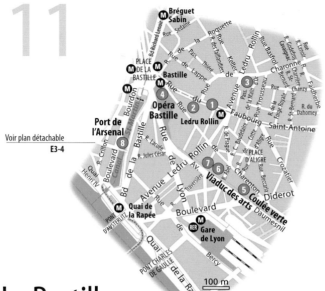

Voir plan détachable
E3-4

100 m

La Bastille
et le faubourg Saint-Antoine

De la forteresse de la Bastille construite au XIVe s.
aux portes de la ville pour défendre la capitale,
il ne reste qu'un contour signalé par un pavage
spécial aux débouchés de la rue Saint-Antoine
et du boulevard Beaumarchais, au n° 3 de la place.
Quand les révolutionnaires la prirent d'assaut
le 14 juillet 1789, il n'y avait que sept prisonniers
et un important stock de poudre… Elle sera
détruite et deviendra le symbole de la chute de la
royauté et du commencement de la Révolution.

❶ Le faubourg Saint-Antoine★★

Sous Louis XI, les artisans
du faubourg furent libérés de
l'autorité des corporations.
Ils purent ainsi utiliser des
bois précieux et inventer de
nouvelles formes. C'est ainsi
que ce lieu devint un creuset
de la création et rassembla

une multitude d'artisans
du meuble comme les
ébénistes, les marqueteurs,
les bronziers, tapissiers.
Aujourd'hui, si les magasins
de meubles sont de plus
en plus nombreux, les petits
ateliers blottis au fond
des cours font encore le
charme de ces lieux.

❷ L'Arbre à Lettres★★

62, rue du Faubourg-Saint-
Antoine, 75012
☎ 01 53 33 83 23
Lun.-sam. 10h-20h,
dim. 14h-19h.

Une très bonne librairie
générale glissée furtivement

entre deux vitrines de marchands de meubles. Une certaine rigueur, un gris conventuel que vient casser la pièce réservée au rayon beaux-arts. Ouverte sur les arbres de la cour Bel-Air, une des plus jolies du quartier. Restée telle qu'elle devait être au XIXe s.

❸ Emery & Co★★

18, pass. de la Main-d'Or, 75011
☎ **01 44 87 02 02**
www.emeryetcie.com
Lun.-sam. 11h-19h ;
f. j. f. et 1er-15 août.

Cette boutique en dehors de la folie du faubourg Saint-Antoine et qui ressemble à un atelier est une parenthèse de calme. Vous trouverez des carrelages, des tissus, des peintures dans des tons sourds, mats et feutrés qui sont chers à Agnès Emery, mais aussi des meubles en fer forgé. Des couleurs différentes, des matières différentes mais une constante : une production artisanale.

❹ L'Opéra-Bastille★★

Pl. de la Bastille, 75011
☎ **01 40 01 17 89**
Loc. lun.-ven. 9h-18h, sam. 9h-13h au ☎ 0 892 89 90 90
www.operadeparis.fr

Tout était controversé : l'emplacement loin du centre, au cœur d'un quartier populaire, l'architecture épurée de Carlos Ott ; l'acoustique de l'immense salle aux 2 700 places. Les débuts ont été difficiles mais, aujourd'hui, les esprits se sont calmés, et le public ne se passionne plus que pour la qualité des voix, la sonorité de l'orchestre, la maîtrise de la scène. Des spectacles à la pointe de l'actualité culturelle dont les places s'arrachent.

❺ Le Viaduc des arts et la Coulée verte★★★

Accès par l'av. Daumesnil
Ouverture : 8h en semaine et 9h le w.-e. Fermeture : 17h30 (nov.-janv.), 18h (fév.-mars), 20h (sept.-oct.), 21h (mi-avr.-août).

Créée en 1988 à l'emplacement d'une ancienne ligne de chemin de fer, cette promenade originale de 4,5 km relie la Bastille au bois de Vincennes. Sur les arcades du viaduc une « coulée verte » de jardins suspendus mêlant liserons des champs et pavots sauvages. Sous les arcades, les ateliers, les vitrines et les créations des artisans parisiens s'exposent au public.

❻ Serge Amoruso★★★

13, rue Abel, 75012
☎ **01 43 45 14 10**
www.sergeamoruso.com
Lun.-ven. 9h-18h, sam. apr.-m. se renseigner.

Galuchat, queue de castor, patte d'autruche, karung, croco, autant de peaux sublimes que Serge Amoruso met en œuvre avec talent. Il les associe à des perles de Tahiti, des bois précieux ou des matières rares tombées du ciel, comme les météorites. De ses mains naissent des porte-monnaie aux pliages complexes à partir de 60 €, des sacs aux lignes épurées, des ceintures et des accessoires.

❼ Viaduc Café★

43, av. Daumesnil, 75012
☎ **01 44 74 70 70**
www.viaduc-cafe.fr
T. l. j. 8h-2h
Formule midi à 17 €.

Sous les arcades de la Coulée verte, le Viaduc Café est le bar-restaurant branché du quartier. Sous ces grandes voûtes où la pierre de taille apparente domine, une salle très « déco » avec au centre un olivier et au mur une grande composition d'Hippolyte Romain qui, de quelques traits, a dessiné les habitués du Café. La terrasse est très appréciée aux beaux jours.

❽ LE PORT DE L'ARSENAL★★★

Ce port de plaisance situé entre le canal Saint-Martin et la Seine constitue une bien agréable promenade. Boulevard Bourdon, une passerelle en fer enjambe le bassin de l'Arsenal et vous donne accès à un jardin idyllique. Au bord de l'eau des pelouses et des pergolas qui se recouvrent de roses, de chèvrefeuilles, de clématites ou de bignones.

11, bd de la Bastille, 75012.

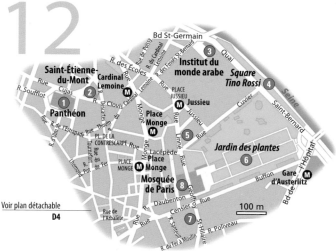

12

Bd St-Germain

Institut du monde arabe ③

Square Tino Rossi ④

Saint-Étienne-du-Mont

Cardinal Lemoine ②

Ⓜ Cardinal Lemoine

PLACE JUSSIEU

Ⓜ Jussieu

Seine

Quai

Saint-Bernard

① Panthéon

R. Soufflot · Rue · Cujas

R. Clovis

Place Monge Ⓜ

⑤

Cuvier

Buffon

Jardin des plantes ⑥

PL. DE LA CONTRESCARPE

PLACE MONGE

Place Monge Ⓜ

Mosquée de Paris ⑧

Gare d'Austerlitz Ⓜ

Rue Daubenton

Rue de l'Arbalète

⑦

Censier ⓂCensier

R. Poliveau

R. du Fer à Moulin

Voir plan détachable
D4

100 m

Du Panthéon
au Jardin des plantes

Derrière la montagne Sainte-Geneviève couverte depuis le Moyen Âge de couvents, de collèges et d'universités commence la rue Mouffetard, l'une des plus anciennes de Paris. Ce quartier de la « Mouffe », autrefois très populaire et misérable où l'on trouvait les auberges les plus louches, séduit aujourd'hui par ses rues pavées qui descendent vers la Seine et bordées de petits immeubles anciens.

❶ Le Panthéon★★★

Pl. du Panthéon, 75005
☎ 01 44 32 18 00
T. l. j. oct.-mars 10h-17h15, avr.-sept. 10h-17h45 ;
f. 1er janv., 1er mai et 25 déc.
Entrée payante.

Louis XV ayant fait le vœu d'édifier une église à sainte Geneviève, Soufflot fut chargé d'en dessiner le plan. Il lui donna la forme d'une croix grecque. Les aléas de la politique aidant, elle allait perdre et retrouver sa vocation religieuse à diverses reprises,

au hasard des gouvernements et des révolutions. Lorsque Victor Hugo mourut, elle devint à jamais le tombeau des grands hommes, sous les fresques évanescentes de Puvis de Chavannes.

❷ L'église Saint-Étienne-du-Mont★★

1, rue Saint-Étienne-du-Mont, 75005.

C'est l'une des plus curieuses églises de Paris qui fut achevée au XVIIe s. par un portail étonnamment asymétrique dans le goût Renaissance. Contrairement aux autres, elle a conservé un jubé du XVIe s. dont la sculpture est une pure merveille. L'enchevêtrement des nervures, la dentelle des clefs de voûte, tout est d'une rare élégance. C'est là que sont enterrés Pascal et Racine.

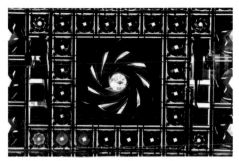

Louis XIII est l'ancêtre de l'actuel Jardin des plantes, qui ouvre ses portes au public en 1640 ! Ce lieu unique et protégé au cœur de Paris rassemble, depuis plusieurs siècles, scientifiques, élèves de tous âges et artistes animaliers ou peintres de fleurs. Ménagerie, jardin botanique, galerie de Minéralogie ou de l'Évolution…

❸ L'Institut du monde arabe★★★

1, rue des Fossés-St-Bernard
Pl. Mohammed-V, 75005
☎ 01 40 51 38 38
Mar.-ven. 10h-18h ; f. 1er mai
Accès payant.

La façade, conçue par Jean Nouvel, est couverte de 240 moucharabiehs qui, tels des diaphragmes, s'ouvrent et se ferment en fonction de l'intensité lumineuse. Les collections du musée se déploient autour d'un patio et retracent à travers des objets d'art, des manuscrits, des instruments scientifiques, de l'artisanat, la grandeur et l'épanouissement culturel et artistique des civilisations arabo-musulmanes

❹ Le square Tino-Rossi★★

Quai Saint-Bernard
Ouverture : 8h en sem., 9h le w.-e. Fermeture : 17h30 (nov.-janv.), 18h (fév.-mars), 20h (sept.-oct.), 21h (avr.-août)
Accès libre.

Ce jardin situé sur les berges de la Seine en face du Jardin des plantes est aussi un musée de sculpture contemporaine. Sous l'ombrage de vieux platanes, les œuvres de Brancusi, de César, d'Ipousteguy, Zadkine, Schoffer, Sthaly et bien d'autres artistes.

❺ L'Arbre à Cannelle★★

14, rue Linné, 75005
☎ 01 43 31 68 31
Lun.-ven. 12h-18h30 à partir du 21 juin
Comptez 12 € le plat.

Passé le pas de la porte, on baigne dans la couleur vert anis, une couleur aussi fraîche que les salades, les assiettes gourmandes et les tartes salées maison (7 €) que l'on sert ici. Tous les jours s'ajoutent à la carte une nouvelle tarte et un ou deux plats en fonction du marché.

❻ Le Jardin des plantes★★★

36, rue G. St-Hilaire, 75005
☎ 01 40 79 56 01
Jardin : entrée libre t. l. j. 8h-19h30.
Grande Galerie de l'Évolution : t. l. j. 10h-18h, sam. 10h-20h ; f. mar. et 1er mai, accès payant.
Ménagerie : t. l. j. 9h-18h, dim. 9h-18h30 ; f. mar. et j. f.
Accès payant
Voir Incontournable p. 69.

Le Jardin royal des plantes médicinales créé en 1626 par

❼ Les Tambours de Bronze★★

23, rue G.-St-Hilaire, 75005
☎ 01 55 43 86 69
Lun.-sam. 10h-13h, 14h-19h ; f. 20 jours en août.

Dans cette petite boutique remplie jusqu'au plafond, vous trouverez des cerfs-volants, des boîtes à thé, des poufs, des lampions, des sacs, des Thermos, des objets insolites et colorés à petits prix. Des meubles provenant de Chine, du Tibet ou de Mongolie, mais aussi des vêtements !

❽ LA MOSQUÉE DE PARIS★★★

Dépaysement garanti dans cette fabuleuse mosquée. Inaugurée en 1926, la Grande Mosquée fut bâtie pour rendre hommage aux 100 000 musulmans morts durant la Première Guerre mondiale. Aujourd'hui on y prie, on peut y prendre un thé dans les cours et sous le jasmin, on y mange des tagines et du couscous ; quant au hammam, il est bien agréable !
39, rue Geoffroy-Saint-Hilaire, 75005, ☎ 01 43 31 38 20
Téléphoner pour les jours et les heures d'ouverture.

13

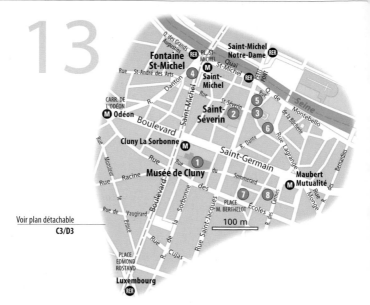

Voir plan détachable
C3/D3

100 m

Le Quartier latin

Les rues se chargent d'étudiants à la sortie des cours ; les cafés restent ouverts tard le soir ; les librairies universitaires bruissent d'une agitation studieuse. Depuis la fondation de la Sorbonne au XIIIe s., le quartier vit du savoir et de sa transmission, en latin bien sûr, d'où son nom. Agité parfois de soubresauts, le quartier n'en demeure pas moins l'un des plus touristiques de Paris.

❶ Le musée national du Moyen Âge, thermes et hôtel de Cluny★★★

6, pl. Paul-Painlevé, 75005
☎ 01 53 73 78 00
www.musee-moyenage.fr
T. l. j. sf mar. 9h15-17h45
Entrée payante.
De sa partie la plus ancienne, les thermes de Lutèce construits aux IIe s. et IIIe s., à l'autel gothique des abbés de Cluny, un joyau de l'architecture flamboyante, ce sont les racines mêmes de Paris qu'on découvre au musée de Cluny, la richesse du Moyen Âge, de la vie seigneuriale. Les objets viennent de monuments parisiens ou de trésors d'églises ; les sculptures

évoquent les noms les plus prestigieux : la Sainte-Chapelle, Notre-Dame… ; et la tapisserie de la Dame à la licorne rappelle l'univers de l'amour courtois. Un jardin botanique/potager montre au public les plantes cultivées au Moyen Âge.

❷ L'église Saint-Séverin★

3, rue des Prêtres-Saint-Séverin, 75005
☎ 01 42 34 93 50
Lun.-sam 11h-19h30, dim. 9h-20h30.
C'est l'une des plus jolies paroisses de Paris, l'une des plus anciennes aussi. Un

parfait exemple de l'évolution des styles du XIIIe s. au XVIe s., un spécimen achevé de l'architecture gothique flamboyante. La visite est courte si l'on veut, mais éblouissante. Les spirales de la colonne centrale, la nervosité des voûtes en palmier, les lignes tissent leur toile de pierre.

❸ Rue Saint-Séverin

Dans ce quartier épargné par les grandes avenues, ce ne sont que ruelles tortueuses et entrecroisées dans lesquelles les voitures n'osent s'aventurer. La rue Saint-Séverin, l'une des plus touristiques, est envahie par les restaurants grecs qui, les uns à côté des autres, au son du sirtaki, nous emmènent sur le port du Pirée !

❹ La fontaine Saint-Michel★

Haussmann décida de construire cette majestueuse fontaine pour masquer le le départ du tout nouveau boulevard Saint-Michel désaxé par rapport au boulevard du Palais de l'île de la Cité. En 1860, Davioud dessina l'ensemble s'inspirant de la fontaine de Trevi et de celle de Marie de Médicis au jardin du Luxembourg. Duret réalisa le saint Michel terrassant le dragon.

❺ Shakespeare & Co★
37, rue de la Bûcherie, 75005
☎ **01 43 25 40 93**
T. l. j. 12h-minuit.

Les rayonnages, jusqu'au plafond, débordent de livres anglais anciens et modernes. La façade, à colombages, est une des plus anciennes du quartier et la rue longe Notre-Dame dont elle est simplement séparée par la Seine. *Tea party* le dimanche après-midi au premier étage, dans l'appartement du libraire. À voir pour le plaisir.

❼ Au Vieux Campeur★★
25 boutiques autour du 48, rue des Écoles, 75005
☎ **01 53 10 48 48**
www.auvieuxcampeur.fr
Lun.-sam. 11h-19h30 (sam. 10h et jeu. jusqu'à 21h).
En juin, juil. et déc., fermeture à 20h.

On y trouve tout, absolument tout pour s'équiper de la tête aux pieds et au-delà. Qu'on ait envie de marcher, de grimper, de skier, de nager, de surfer, de plonger, de camper, il y a toujours ce qu'il faut. Et cela dure depuis 1941. Catalogue sur demande. La maison expédie en province.

❽ Mayette★
8, rue des Carmes, 75005
☎ **01 43 54 13 63**
www.mayette.com pour télécharger des tours de magie !
Lun.-sam. 13h30-20h.

Depuis 1808, le plus vieux magasin de prestidigitation de France où l'on apprend tout sur la magie. Les tours les plus simples comme les plus difficiles, démonstration à l'appui. Livres, cassettes vidéo et CD-Rom remplissent des tiroirs qui datent d'un autre siècle. De tout à tous les prix : c'est magique.

❻ LES BD DE LA RUE DANTE

Derrière le quartier très animé de Saint-Séverin, la rue Dante est loin d'être un enfer, mais plutôt un paradis pour les amateurs de bandes dessinées. En effet, les libraires se succèdent presque à touche-touche. Dans les devantures, Tintin, Superman et bien d'autres héros vous font signe. Le bonheur se trouvera en fouillant parmi ces nombreux d'albums ou en jetant un œil sur les planches originales.

14

PL. DE L'INSTITUT Quai de Conti
Sq. du Vert Galant
Seine
Bonaparte
Rue
R. Visconti
Rue Jacob
Rue de Nesle
R. Guénégaud
R. Mazarine
PONT-NEUF
des Grands Augustins
Quai des Grands Augustins
Quai de Conti
1 **Institut de France**
2
St-Germain-des-Prés
Boulevard
Rue
Rue de Rennes
M **St-Germain-des-Prés**
Rue du Four
Rue de Buci
R. de Seine
St-André des Arts
R. Danton
4
5
6
3 St-Germain
St-Germain
M **Mabillon**
CARR. DE L'ODÉON
R. de l'Odéon
M **Odéon**

Voir plan détachable
C3-4

Saint-Sulpice **M**
Saint-Sulpice
R. de Mézières
PLACE ST-SULPICE
7
R. Cassette
Rue Madame
Rue
Rue Guynemer
Rue
de
Rue de Tournon
Rue de Vaugirard
PL. P. CLAUDEL
Vaugirard
R. de Médicis
R. Monsieur le Prince
Racine
Rue des Écoles
Bd Saint-Michel
8
PLACE EDMOND ROSTAND
Jardin du Luxembourg
Luxembourg **RER**
Rue d'Assas
Bd Raspail
PL. ANDRÉ HONNORAT
Rue Auguste Comte
RER
Luxembourg
100 m

Du pont des Arts
au jardin du Luxembourg

Les saint-sulpiceries disparaissent peu à peu de la place avec les dernières boutiques d'art religieux, mais la fontaine de Visconti continue à ruisseler comme si de rien n'était. Des rues pleines de charme mènent au jardin du Luxembourg : la rue Servandoni, la rue Férou. La rue Guisarde, la rue des Canettes, souvenirs d'un très vieux Paris, rejoignent l'animation du boulevard Saint-Germain.

❶ l'Institut de France★★

23, quai de Conti, 75006
Téléphoner pour les horaires et les visites :
☎ 01 44 41 44 41
www.institut-de-france.fr

Sous la coupole de Le Vau édifiée en 1663 se réunissent en séance solennelle les académiciens. L'Institut de France comprend l'Académie française créée par Richelieu en 1635, l'Académie des inscriptions et belles-lettres

(1663), l'Académie des sciences (1666), l'Académie des beaux-arts et l'Académie des sciences morales et politiques. Le jeudi, les académiciens se réunissent pour statuer sur le sort des mots devant figurer ou non dans le dictionnaire français…

❷ Galerie Triff★★

35, rue Jacob, 75006
☎ 01 42 60 22 60
www.triff.com
Lun. 14h30-19h, mar.-sam. 10h30-19h ; f. 1ᵉʳ mai et 15 premiers jours d'août.

Au fond d'une cour fleurie de camélias, dans un décor inspiré d'une maison orientale avec son patio et sa fontaine, la galerie Triff vend des kilims ainsi que de nombreux textiles orientaux comme les *suzani*. Ils vont chercher des pièces anciennes jusqu'en

Asie centrale en passant par la Turquie, le Caucase et l'Iran, et réalisent avec les plus belles laines d'Anatolie des tapis contemporains aux motifs géométriques et colorés.

❸ Le marché de Buci★

Au croisement de la rue de Buci et de la rue de Seine, mar.-dim. toute la journée.

Le marché de Buci, ce sont des boutiques, mais leurs étals débordants de fleurs, de fruits, de légumes et de fromages empiètent si largement sur la rue que l'on parle de marché. On s'y promène, on y fait ses courses bien sûr et c'est toujours la bousculade !

❹ L'Heure Gourmande★★

22, pass. Dauphine, 75006 (accès au niveau du n° 27 de la rue Mazarine ou du n° 30 de la rue Dauphine)
☎ 01 46 34 00 40
Lun.-sam. 11h30-19h30, dim. 10h-19h
Formule entre 12 et 14 €, rés. souhaitable à midi.
Dans le calme du passage Dauphine se trouve la meilleure adresse du quartier pour déjeuner sur le pouce. En été on profite de la petite terrasse, en hiver du chocolat chaud à l'ancienne. Cathie met un point d'honneur à cuisiner d'excellentes tartes salées ou sucrées. Le Safari tartes, un assortiment de 3 tartelettes salées, est à 12,50 €.

❺ Mariage frères★★★

13, rue des Grands-Augustins, 75006
☎ 01 40 51 82 50
T. l. j. comptoir des thés 10h30-19h30, salon de thé 15h-19h.
Le thé est ici une histoire de famille. Si la société Mariage ne fut fondée qu'en 1854, la famille depuis le XVIIe s. était

spécialisée dans le commerce du loin, faisant venir des comptoirs thés et épices. Thés bruns, thés verts, thés fleuris, par des mélanges raffinés et esthétiques, font entrer le breuvage des dieux dans la gastronomie.

❼ Place et église Saint-Sulpice★★★

Pl. Saint-Sulpice, 75006.
On se croirait en Italie sur cette place ombragée avec au centre la fontaine dite des « quatre points cardinaux » représentant les évêques Bossuet, Fénelon, Massillon et Fléchier, qui ne furent jamais cardinaux ! Derrière la majestueuse façade Renaissance conçue par Servandoni se cachent à l'entrée des bénitiers en coquille sculptés par Pigalle, dans la chapelle des Saints-Anges les fresques de Delacroix, autour du chœur des statues de Bouchardon.

❽ Le Sénat et le jardin du Luxembourg★★★

Ce magnifique palais Renaissance construit par Catherine de Médicis abrite aujourd'hui le Sénat. Le jardin romantique était la promenade favorite des artistes et des poètes. Aujourd'hui, dans le bassin louvoient les bateaux à voile des enfants, sous les arbres évoluent les maîtres de tai-chi tandis que les joueurs d'échecs et de belote font des parties endiablées.

❻ LA COUR DU COMMERCE SAINT-ANDRÉ ET LA COUR DE ROHAN★★★

La cour du Commerce-Saint-André fut édifiée en 1776. Au n° 8, Marat imprimait son journal L'Ami du peuple, au n° 9 on construisit la première guillotine. Aujourd'hui, on y trouve surtout des salons de thé, mais aussi un passage qui communique avec la cour de Rohan. Là, Trouvon découvre des vestiges de la muraille de Philippe Auguste, un pas-de-mule pour monter sur les chevaux et un vieux puits.
Entrée pl. Henri-Mondor ou rue de l'Ancienne-Comédie.

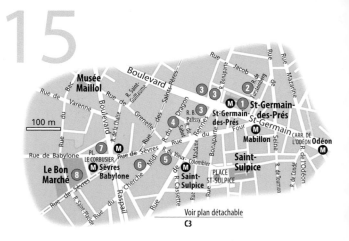

De Saint-Germain-des-Prés
à Sèvres-Babylone

Rue du Cherche-Midi, rue de Grenelle, rue du Four, rue du Vieux-Colombier, rue Bonaparte, bd Saint-Germain, le quartier du Carrefour de la Croix-Rouge marqué par une statue de César est sans aucun doute le « faubourg Saint-Honoré » de la Rive gauche. On y trouve les marques les plus chic et les plus prestigieuses dans des boutiques de charme.

❶ Église Saint-Germain-des-Prés★★★

3, pl. Saint-Germain-des-Prés, 75006
☎ 01 55 42 81 33
T. l. j. 8h-19h30.

Avec Saint-Pierre-de-Montmartre, Saint-Germain-des-Prés est l'une des plus anciennes églises de Paris. De la grande abbaye romane des XIe et XIIe s., il ne reste que le clocher-porche, la façade et le déambulatoire. À noter aussi les colonnes de marbre du triforium qui proviennent du premier édifice mérovingien de Childebert construit au VIe s. Dans la nef, les peintures

murales, réalisées en 1846, sont d'Hippolyte Flandrin, élève d'Ingres.

❷ Place Furstenberg★★

Cette charmante petite place, qui est en fait la rue Furstenberg, s'ouvre comme une scène de théâtre qu'ombragerait un paulownia. Un réverbère, un banc public, on dirait un décor pour les amoureux de Peynet. Delacroix s'était installé au n° 6 et aujourd'hui on visite son musée (☎ 01 44 41 86 50, ouv. t. l. j. sf mar. 9h30-17h).

❸ Cafés et célébrités à Saint-Germain★

Sur le boulevard Saint-Germain se succèdent des cafés renommés qui virent et voient toujours passer artistes, écrivains, politiciens, intellectuels et célébrités. Les Deux Magots (6, pl. Saint-Germain) et le Café de Flore (172, bd Saint-Germain), fréquentés par les surréalistes, Jean-Paul Sartre et Simone de Beauvoir. En face, à la brasserie Lipp (151, bd Saint-Germain), se retrouvaient les hommes politiques, François Mitterrand y avait sa table attitrée.

❹ La rue du Dragon★

Au premier étage de l'immeuble qui fait l'angle entre la rue de Sèvres et la rue du Dragon, petit balcon arrondi en fer forgé surmonté d'une lanterne et d'un dragon de bronze. Dans cette petite rue où foisonnent les boutiques de mode et d'accessoires donnent deux ruelles au tracé moyenâgeux qui vous font remonter le temps : la rue du Sabot et la rue Bernard-Palissy.

❺ Longchamp★
21, rue du Vieux-Colombier, 75006
☎ 01 42 22 74 75
Lun.-sam. 10h-19h.

C'est en développant son commerce de pipes dans une civette que Jean Cassegrain a eu l'idée de les faire gainer de cuir. Le succès naissant, il crée sa propre marque en 1848.

Il commence par des accessoires de fumeurs et de la petite maroquinerie, puis des bagages et, à la fin des années 1970, apparaissent les premiers sacs à main. Depuis, l'offre s'est encore diversifiée avec à chaque saison de nouvelles collections de ceintures, de chaussures, de gants, de cravates et foulards en soie.

❻ Poilâne★★★
8, rue du Cherche-Midi, 75006
☎ 01 45 48 42 59
Lun.-sam. 7h15-20h15.

Depuis 1932 la maison Poilâne fait du bon « pain noir » avec une farine moulue à la meule, une fermentation naturelle au levain et une cuisson au feu de bois qui donne à la croûte un petit goût inimitable. Mais dans cette boutique vous trouverez aussi de délicieuses viennoiseries, sans oublier les petits sablés (22 €/kg) et la tartelette aux pommes à 2,10 € !

❼ Petrusse★
46, bd Raspail, 75007
☎ 01 42 22 36 28
www.petrusse.com
Lun. 14h-19h30, mar.-sam.10h30-19h30 ; juin-août 11h30-19h30
F. 2 sem. en août.

Depuis 1994, Petrusse réalise de somptueux châles et étoffes dont les motifs créés par des artistes de talent peuvent aussi s'inspirer des textiles anciens qui constituent le fonds historique de la maison, comme des cachemires européens des XVIIIe et XIXe s. ou les obis des kimonos. Chaque année deux collections de châles voient le jour ainsi qu'une collection maison.

❽ LE BON MARCHÉ★★

Décrit par Zola dans son roman *Au Bonheur des Dames*, le Bon Marché créé en 1848 par Aristide Boucicaut et sa femme Marguerite est le premier grand magasin de Paris. Dès 1869 on fait appel à Gustave Eiffel pour agrandir le lieu en utilisant pour la première fois une architecture métallique. Aujourd'hui, on y trouve ce qu'il y a de plus chic et les fashion victims ne manquent pas d'y faire leur shopping. On y vend toujours beaucoup mais plus à bas prix !

24, rue de Sèvres, 75006, ☎ 01 44 39 80 00
Lun.-mer., ven. 9h30-19h, jeu. 10h-21h, sam. 9h30-20h.

16

Voir plan détachable
B3/C3

[Carte du quartier des Invalides avec les rues et stations suivantes :]

Quai d'Orsay · 8 · PONT DE LA CONCORDE
Palais Bourbon Assemblée nationale · Assemblée Nationale
RER Invalides
Fabert · Rue · de · l'Université · PL. DU PALAIS BOURBON · PL. DU PRÉS. É. HERRIOT · R. de Lille
Esplanade des Invalides · Rue · de · Constantine
Maréchal Galliéni · Rue R. R. Emile Peltier · Rue
Invalides
St-Dominique · Solférino · Bd · St-Germain · l'Université · 7
PLACE DES INVALIDES · Rue · de Bourgogne · R. de Martignac · R. Casimir Périer · Las Cases · Rue de Bellechasse
La Tour-Maubourg · Invalides · 4 · 5 · 6 · **Rue du Bac**
Varenne · Rue · 3 · des · Rue · de · Grenelle · Bd · Raspail
1 · **Invalides** · **Musée Rodin** · de Jouy · Varenne · **Musée Maillol**
Avenue · de · Tourville · R. Barbet · Rue · Vaneau
PL. DENYS COCHIN · PLACE VAUBAN
Av. de Ségur · R. de Breteuil · R. de Villers · R. d'Estrées · Boulevard · Rue · de · Babylone · 2 · 100 m
Saint-François Xavier · Rue · Monsieur · Oudinot · R. Pierre Leroux · Rue Rousselet · des Invalides
Vaneau

Des Invalides
à la rue du Bac

C'est le quartier calme et feutré des ministères où il n'est pas rare après les séances à l'Assemblée nationale de croiser des hommes politiques qui regagnent Matignon (57, rue de Varenne). Des rues étroites bordées de beaux immeubles ou de grands murs qui cachent des hôtels particuliers mais aussi de grands jardins.

❶ Les Invalides★★★

Pl. des Invalides, 75007
☎ 01 44 42 37 72
www.invalides.org
T. l. j. sf le 1er lun. de chaque mois, 1er janv., 1er mai, 1er nov. et 25 déc. 10h-17h,

oct.-mars, 10h-18h avr.-sept.
Accès payant
Voir Incontournable p. 74.

Louis XIV lança la construction des Invalides pour héberger les vétérans

de ses armées. Il fit appel à Libéral Bruant pour les bâtiments civils et à Jules Hardouin-Mansart pour l'église. Sous le dôme de l'église Saint-Louis se trouve depuis 1840 le tombeau de Napoléon Ier. On peut voir dans les ailes le musée de l'Armée et le musée des Plans-Reliefs.

❷ Cinéma La Pagode★★

57, rue de Babylone, 75007
☎ 01 45 55 48 48.

C'est une véritable pagode qui se trouve devant vous. En 1896, le directeur du Bon Marché,

M. Morin, offrit à son épouse cette pagode qu'il fit venir du Japon et remonter dans ce jardin. Elle servit de salle de bal pour être transformée en 1931 en cinéma. Aujourd'hui classée monument historique, on y voit toujours des films dans la splendide salle japonaise et l'on peut se restaurer dans son jardin oriental.

❸ Le musée Rodin et son jardin★★★

79, rue de Varenne, 75007
☎ 01 44 18 61 10
Mar.-dim. avr.-sept. 9h30-17h15, oct.-mars 9h30-16h15.

C'est ici, dans le bel hôtel Biron, qu'habita Rodin à la fin de sa vie. Déjà, il avait en tête de faire de ce lieu un musée, et c'est pourquoi il légua à l'État l'ensemble de ses œuvres. Aujourd'hui on y admire *La Porte de l'Enfer, Le Baiser*, des bronzes, des plâtres, mais aussi des œuvres de ses amis, Monet, Renoir et Van Gogh. Dans le grand jardin où sont placés le *Balzac* et *Le Penseur*, se trouve une cafétéria où il fait bon se reposer et déjeuner.

❺ Ornements★

96, rue de Grenelle, 75007
☎ 01 45 44 00 23
Mar., ven. 11h30-13h30 et 14h30-19h, mer.-jeu., sam. 11h-18h ; f. en août.

Véronique Michaut rassemble dans sa boutique des artisans de talent pour des objets uniques. Ce sont des bijoux de bronze, des bracelets, des sautoirs. Ce sont des textiles avec des soies peintes pour faire des chemins de table, des céramiques et de la porcelaine pour créer des services de table ou des vases.

❻ Bon Ton★★

82, rue de Grenelle, 75007
☎ 01 44 39 09 20
Lun.-sam. 10h-19h.

Dans ces anciens ateliers de couture qui donnent l'impression d'une maison dans la maison se trouve la boutique Bon Ton : des vêtements colorés de la naissance au 10 ans, mais aussi un espace mobilier et un espace joujoux.

❼ Deyrolle★★★

46, rue du Bac, 75007
☎ 01 42 22 30 07
www.deyrolle.fr
Lun.-sam. 10h-19h ;
f. entre 13h et 14h le lun.

Ce lieu magique connu depuis 1880 a inspiré Salvador Dalí, Bernard Buffet, André Breton, Théodore Monot et mille petits enfants. Et pour cause : à l'étage, la Petite Galerie de l'Évolution rassemble des centaines d'animaux naturalisés, un cabinet de curiosités accumule l'hétéroclite (minéraux, œufs d'autruches montés…), une autre salle est consacrée aux insectes du monde.

❽ L'Assemblée nationale★★

33 bis, quai d'Orsay, 75007
☎ 01 40 63 64 80
ou 01 40 63 99 99
Visites indiv. : sam. 10h, 14h, 15h ; f. j. f. et quand l'Assemblée siège.
Pièce d'identité obligatoire.
Entrée et visite gratuites.

Dans l'hémicycle de l'Assemblée nationale siègent les députés français qui discutent et votent les lois. Le palais Bourbon, construit en 1726 pour une fille légitimée de Louis XIV et de Mme de Montespan, fut confisqué à la Révolution. Les salons furent transformés en « Salle des séances » et c'est à ce moment qu'apparaît le clivage des partis, avec à droite les monarchistes, à gauche les révolutionnaires et au centre le « marais ». La façade construite en 1807 répond à celle de la Madeleine, de l'autre côté de la Seine.

❹ SHELL EYE THOMAS BOOG★★★

Thomas Boog ne voit la vie qu'en coquillages. Il joue sur les formes, les couleurs, les matières et transforme des coraux rouges en luminaires, utilise la nacre pour renvoyer la lumière, borde un miroir de coquillages dans une harmonie de noir et de blanc. Du très, très beau qui vaut son pesant d'or !

52, rue de Bourgogne, 75007, ☎ 01 43 17 30 03
Lun. 14h-19h, mar.-ven. 11h-19h.

17

Voir plan détachable
A2-3

La tour Eiffel
et le Trocadéro

Ce décor planté en partie au cours des Expositions universelles de 1889 et 1937 offre un panorama de l'architecture, la tour Eiffel Art nouveau, le palais de Chaillot et le musée d'Art moderne Art déco et le nouveau musée du Quai-Branly la dernière tendance contemporaine. Du haut de ces bâtiments la vue y est aussi remarquable, et au milieu coule la Seine.

❶ La tour Eiffel★★★
Champ-de-Mars, 75007
☎ 01 44 11 23 23
T. l. j. 9h30-23h, 18h30 pour les escaliers (9h-minuit de mi-juin à août)
Accès payant
Voir Incontournable p. 68.

La vieille dame de métal, élevée pour fêter le centenaire de la Révolution française, porte allègrement ses cent dix-sept ans. Avec six millions de visiteurs par an, elle est un des monuments les plus courus de Paris. On y trouve des restaurants, des observatoires scientifiques, des boutiques et un panorama fantastique. À près de 300 m de haut, la vue porte à 90 km par beau temps !

❷ Palais de Chaillot★★
17, pl. du Trocadéro, 75016.
Le palais de Chaillot, ou Trocadéro, fut construit par les architectes Azéma, Carlu et Boileau, pour l'Exposition universelle de 1937. Dans le plus pur style Art déco, deux grandes ailes arrondies descendent vers la Seine et abritent le musée de la Marine et le musée de l'Homme. Au centre, l'esplanade des Droits de l'homme offre l'un des plus beaux panoramas de Paris sur la tour Eiffel et les fontaines du jardin du Trocadéro.

❸ Le Café de l'Homme★

17, pl. du Trocadéro, 75016
☎ **01 44 05 30 15**
Lun.-sam. 12h-2h (dim. 11h)
Midi plat du jour : 22 à 28 €
Le soir, carte : 55 €/pers.
La vue y est tout simplement
exceptionnelle. Le restaurant
et sa terrasse (ouverte dès les
beaux jours) donnent sur
la tour Eiffel et le Champ-
de-Mars. À l'intérieur, des
feuilles d'or aux murs et des
grands lustres de cristal, et,
dans les assiettes, une cuisine
traditionnelle et moderne.
Pour les petits budgets, on peut
prendre un thé l'après-midi ou
un cocktail le soir.

❹ Le musée Guimet★★★

6, pl. d'Iéna, 75016
☎ **01 56 52 53 00**
www.muséeguimet.fr
T. l. j. sf mar. 10h-18h
Accès payant.
La collection d'Émile Guimet,
à l'origine du musée, fut
complétée au fil des ans
par des donations et des
acquisitions qui font de ce
musée d'Art asiatique l'un des
plus riches au monde.
On se rend compte du
rayonnement de l'art chinois
et de l'importance de l'art
indien. Mandalas tibétains,
objets du Népal, peintures
japonaises et coréennes,
porcelaine et chinois, c'est
un grand voyage au cœur des
civilisations de l'Asie centrale
et de l'Extrême-Orient.

❺ Baccarat, le nouveau palais de Cristal★★★

11, pl. des États-Unis, 75016
☎ **01 40 22 11 00**
www.baccarat.fr
Lun.-sam. 10h-21h
Musée f. mar.
Ce splendide hôtel particulier
où Marie-Laure de Noailles

donnait des fêtes magiques
courues de l'intelligentsia
parisienne et des artistes
est aujourd'hui le siège de
Baccarat. Dans un décor
imaginé par Philippe Starck
et Gérard Garouste, il abrite
une boutique étonnante, le
restaurant idéal pour une
collation sur le pouce, la
galerie-musée et la salle de
bal dans son décor d'origine
du XVIIIᵉ s. La galerie-musée

présente le savoir-faire, des
pièces monumentales et
prestigieuses créées par la
maison depuis 1764.

❻ Le musée d'Art moderne de la Ville de Paris★★★

**11, av. du Président-Wilson,
75016**
☎ **01 53 67 40 00**
**Collections mar.-dim. sf j. f.
10h-18h, entrée gratuite
Expositions10h-22h, accès
payant**
Voir Incontournable p. 70.

Il réunit les artistes
représentatifs des plus grands
courants du XXᵉ s. Ce sont
des œuvres monumentales
de Robert Delaunay, des
tableaux de Bonnard, Vuillard,
Picasso, Modigliani, Soutine,
Van Dongen, Matisse et bien
d'autres. Des expositions
temporaires toujours
remarquables sont organisées
entre ces murs.

❼ MUSÉE DU QUAI-BRANLY★★★

Masques, statuettes, textiles, parures de plumes,
d'or ou d'argent, objets rituels, peintures sur écorce, des
œuvres fantastiques qui se découvrent dans
ce nouveau musée dont l'architecture a été conçue
par Jean Nouvel. Un parcours géographique vous fera
découvrir les arts et les civilisations d'Afrique, d'Océanie,
d'Asie et des Amériques.
**Accès : 27, 37 ou 51, quai Branly ou 206 et 218 de la rue de
l'Université, 75007,** ☎ **01 56 61 70 00, www.quaibranly.fr
Mar.-dim. 10h-18h30 (jeu. 22h), accès payant**
Voir Incontournable p. 77.

Tour Eiffel

Aucun monument au monde ne jouit d'une telle célébrité. Dans les esprits, Paris ne va pas sans sa tour de métal. Depuis 1889, plus de 223 millions de visiteurs ont gravi les 1 665 marches ou utilisé les ascenseurs pour être au sommet de cette tour de 324 mètres, antenne comprise !

L'Exposition universelle de 1889

C'est en gagnant le concours organisé pour l'Exposition universelle qui allait se tenir sur le Champ-de-Mars que Gustave Eiffel est entré dans la légende. Il faudra moins de deux ans à l'ingénieur et à ses ouvriers pour monter ce gigantesque assemblage de pièces métalliques. La tour Eiffel est inaugurée le 31 mars 1889 pour fêter le centenaire de la Révolution française, puis ouverte au public au mois de mai. Vingt ans après son édification, la tour devait être démontée comme les autres bâtiments de l'Exposition, mais elle fut sauvée grâce à son utilisation scientifique, puisqu'elle servit de relais télégraphique, radio, d'émetteur pour la télévision et de station météorologique.

Fortune critique

Dès sa construction, la tour a suscité de nombreuses et vives réactions de la part des artistes, qui se demandaient comment un « constructeur de machines » pouvait faire des œuvres d'art. Cependant elle fut louée par Apollinaire, représentée par Robert Delaunay et chantée par Charles Trenet.

Restauration et illumination

Lors des travaux de restauration en 1985, on aménage un nouvel éclairage qui, la nuit, fait ressortir toute la beauté de la structure métallique. Les toutes dernières nouveautés en matière d'illumination furent le phare et le scintillement. Le phare, avec ses deux puissants faisceaux lumineux, rappelle celui d'origine installé par Gustave Eiffel. Enfin, depuis l'an 2000, à la tombée de la nuit, elle revêt son habit de lumière toutes les dix premières minutes de chaque heure jusqu'à son extinction à 1h du matin l'hiver et 2h l'été.

COORDONNÉES

Voir p. 66
Champ-de-Mars,
75007
M° Bir-Hakeim
RER Champ-de-Mars
Voir plan A3
☎ 01 44 11 23 23
www.tour-eiffel.fr
T. l. j. 9h30-23h,
18h30 pour les escaliers
(9h-minuit mi-juin-août)
Accès payant.

Jardin des plantes
et Muséum d'histoire naturelle

Au cœur de Paris, le Jardin des plantes est un lieu unique en son genre, tant les allées, les bâtiments virent passer promeneurs, scientifiques et artistes venus dessiner les plantes ou sculpter les animaux de la ménagerie.

provenaient de la ménagerie royale de Versailles, elle a conservé son aspect d'origine et abrite aujourd'hui des animaux de petite taille.

Le Jardin des plantes

Il voit le jour avec la création sous Louis XIII d'un Jardin royal des plantes médicinales, qui devint Jardin du Roy en 1739 et Jardin des plantes à la Révolution. Aujourd'hui, une roseraie longe la galerie de Minéralogie et le jardin Botanique recèle le jardin Alpin qui rassemble à lui seul plus de 2 000 espèces végétales montagnardes provenant du monde entier !

La Grande Galerie de l'Évolution

Sous cette belle architecture métallique de Jules André passe la caravane des animaux naturalisés qui racontent l'histoire de l'évolution des espèces depuis les origines de la vie, il y a quatre milliards d'années.

La ménagerie

Avec ses bâtiments datant des XVIIIᵉ et XIXᵉ s., elle est le plus ancien zoo du monde ! Créée à la Révolution en 1794 pour accueillir les animaux qui

Galeries de Paléontologie et d'Anatomie comparée

Un voyage au pays des squelettes avec au deuxième étage la galerie de Paléontologie où se dressent les dinosaures et les mammouths, où les fossiles évoquent d'anciennes formes animales vieilles de 600 millions d'années.

Galerie de Minéralogie et de Géologie

Météorites, minéraux et fabuleux cristaux, cette collection figure parmi les plus anciennes et les plus prestigieuses du monde. Une salle du Trésor avec 2 000 gemmes, dont l'émeraude de Saint Louis, une salle de cristaux géants, des pierres sorties des cabinets de curiosités.

COORDONNÉES

Voir p. 57
36, rue Geoffroy-Saint-Hilaire, 75006
Mᵒ Austerlitz ou Jussieu
Voir plan D4
☎ 01 40 79 56 01
Jardin : entrée libre t. l. j. 8h-19h30.
Grande Galerie de l'Évolution : t. l. j. 10h-18h, sam. 10h-20h, f. mar. et 1ᵉʳ mai, accès payant.
Ménagerie : t. l. j. 9h-18h, dim. 9h-18h30 ; f. mar. et 1ᵉʳ mai, accès payant.

Musée d'Art moderne

Il est installé dans l'aile est du palais de Tokyo réalisé pour l'Exposition universelle de 1937. Prévu à l'origine pour récupérer les collections contemporaines du Petit Palais, la guerre retarda ce projet et l'ouverture du musée n'eut lieu qu'en 1961. C'est tout d'abord pour des expositions temporaires puis grâce à des legs et des achats que le musée s'est constitué une collection permanente de 8 000 œuvres qui illustrent les différents courants artistiques du XXe s.

Le parcours historique

Le parcours débute avec le fauvisme représenté par Derain *(Trois personnages assis sur l'herbe)* et Vlaminck réunis en 1905 autour de Matisse *(Pastorale)*, se poursuit avec le cubisme de Picasso *(Pigeon aux petits pois)* et Braque, avec l'orphisme de Robert Delaunay qui met la couleur en mouvement *(L'Équipe de Cardiff)*. Le courant surréaliste est évoqué par des œuvres de Picabia, Brauner et Bellmer. Enfin, à l'abstraction de Jean Arp s'opposent les portraits expressionnistes de Modigliani *(La Femme aux yeux bleus)*, Soutine et Van Dongen.

Le parcours contemporain

Il concerne les années qui suivent la Seconde Guerre mondiale et sont marquées par le nouveau réalisme représenté par les accumulations d'Arman, les compressions de César et les détournements d'objets de Gérard Deschamps et l'abstraction lyrique avec les œuvres de Soulages.

Les grandes compositions

De grands panneaux forment le renouveau du genre monumental durant les années 1930 : les quatre *Rythmes* offerts par Sonia et Robert Delaunay, les deux triptyques de 3,5 m par 13 m pour les versions de *La Danse* d'Henri Matisse et *La Fée Électricité* de Raoul Dufy avec 60 m de long par 10 m de haut !

COORDONNÉES

Voir p. 67
11, av du Président-Wilson, 75016
Mo Iéna – Alma-Marceau
Voir plan A2-3
☎ 01 53 67 40 00
Collections : mar.-dim. sf j. f. 10h-18h, entrée gratuite
Expositions : jusqu'à 22h, accès payant.

Arc de Triomphe

Érigé au milieu de la place de l'Étoile (officiellement baptisée Charles-de-Gaulle depuis 1969), l'arc de Triomphe est l'un des sites les plus visités de Paris. Napoléon ordonna la construction du monument en 1806 d'après les plans de Chalgrin, mais c'est Louis-Philippe qui en fit l'inauguration en 1836. Il domine aujourd'hui le départ des douze avenues percées par Haussmann.

Le symbole de la nation

Ce bâtiment était originellement voué à la gloire de la Grande Armée, mais la chute de l'Empire perturba ce projet. L'endroit a toutefois conservé sa vocation avec l'exposition des cendres de Napoléon avant leur transfert aux Invalides et l'hommage posthume fait à Victor Hugo en 1885. C'est en janvier 1921, avec l'inhumation du Soldat inconnu, que l'arc a pris toute sa valeur. Depuis, une flamme perpétuelle du souvenir brûle sur le tombeau. C'est sur cette tombe que le général de Gaulle choisit de se recueillir après la libération de Paris. Le monument est aujourd'hui le lieu des cérémonies officielles du 14 juillet et du 11 novembre.

La plate-forme et le musée

En accédant au sommet de l'arc, on peut admirer l'alignement que forment la Grande Arche, les Champs-Élysées et la place de la Concorde. Ce point de vue est certainement l'un des plus beaux sur la capitale et sur celle qui fut baptisée « la plus belle avenue du monde ». Un nouveau musée ouvrira ses portes à la fin de l'année 2006 qui présentera à l'aide d'outils multimédias des explications sur la construction de l'arc de Triomphe, sur l'histoire des arcs dans le monde, leur symbolique et leur rôle commémoratif.

COORDONNÉES

Voir p. 36
Pl. Charles-de-Gaulle,
75008
M° et RER Charles-de-Gaulle–Étoile
Voir plan A2
☎ 01 55 37 73 77
T l j sf 1er janv., 1er mai et 25 déc. : oct.-mars 10h-22h30, avr.-sept. 10h-23h
Accès payant.

Le Louvre

Une semaine suffirait à peine pour faire le tour de ce musée considéré comme l'un des plus vastes au monde. L'histoire du Louvre débute en 1190 lors de la construction par le roi Philippe Auguste d'une forteresse destinée à protéger Paris. En 1793, le Muséum central des arts ouvre ses portes et en 1989, la pyramide de verre est inaugurée. Aujourd'hui le Louvre est constitué de huit départements et présente 35 000 œuvres dans 60 600 m^2.

Les antiquités orientales, égyptiennes, grecques, étrusques et romaines

Les antiquités orientales concernent les pays du Proche et du Moyen-Orient depuis les premiers villages il y a plus de 7 000 ans jusqu'à l'arrivée de l'Islam. À voir : les taureaux ailés de Khorsabad (salle 4) et le chapiteau de l'Apadana (salle 12). L'Égypte est abordée de façon thématique et chronologique. À voir : le scribe « accroupi » (salle 22) et le buste d'Akhenaton (salle 25). L'art grec est représenté par la *Victoire de Samothrace* et la *Vénus de Milo* (salle 74), l'art étrusque par le sarcophage des époux (salle 18) et l'art romain par de belles mosaïques.

Les objets d'art

Émaux et orfèvrerie du Moyen Âge et de la Renaissance, meubles, tapisseries et arts décoratifs des XVIIe et XVIIIe s., ce sont les diamants de la Couronne (galerie d'Apollon, 1er étage, salle 66) et les magnifiques appartements Napoléon III (salle 87).

La sculpture

De l'art roman aux œuvres monumentales du XIXe s., toute la sculpture européenne est représentée au Louvre avec le tombeau de Philippe Pot (salle 10), l'*Esclave mourant* de Michel-Ange (salle 4), le *Milon de Crotone* de Puget et les chevaux de Marly dans la cour Puget.

La peinture

Un département très vaste et encyclopédique qui regroupe des œuvres de toutes les écoles de peinture européennes du XIIIe s. à 1848. Dans la Grande Galerie, la peinture italienne avec les primitifs et la salle 6 où se trouve *La Joconde*. Au bout, dans le pavillon de Flore, les peintures espagnole et italienne avec Murillo, Caravage. Au deuxième étage, la peinture française avec des œuvres de G. de La Tour (*Le tricheur* salle 30), de Watteau (*Le Gilles*

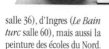

salle 36), d'Ingres (*Le Bain turc* salle 60), mais aussi la peinture des écoles du Nord.

COORDONNÉES

Voir p. 44
Accès direct depuis le M° Palais-Royal–Musée-du-Louvre
Voir plan C3
☎ 01 40 20 50 50
www.louvre.fr
Ouv. t. l. j. sf mar. 9h-18h (21h45 mer. et ven.) ; f. 1er janv., 1er mai, 15 août, 25 déc.
Accès payant, gratuit le 1er dim. de chaque mois.

La basilique du Sacré-Cœur

Sur cette colline qui culmine à 129 mètres au-dessus du niveau de la mer, saint Denis, premier évêque de Paris, aurait été décapité à la fin du IIIe s. avec d'autres chrétiens. C'est ainsi que le site prit le nom de Montmartre, le « mont des Martyrs ». Aujourd'hui, c'est l'un des sites les plus visités de Paris, on vient pour y respirer la bohème, pour y découvrir un panorama fantastique mais aussi pour prier.

83 puits de 33 mètres de profondeur afin d'assurer les fondations de la basilique. En 1914, l'édifice long de 85 m et large de 35 m, avec une coupole qui s'élève à 55 m, est achevé. Il sera consacré après la Première Guerre mondiale en 1919 et devient un lieu de pèlerinage.

La visite

À l'intérieur, une grande mosaïque de Luc Olivier Merson représentant la Trinité avec le Christ au cœur rayonnant, le grand orgue signé Cavaillé-Col et comptant 5 384 tuyaux, puis la crypte abritant le trésor et une salle retraçant l'histoire de la basilique. À l'extérieur, dans le campanile, se trouve la Savoyarde, dont les 19 tonnes en font la plus grosse cloche connue ! Enfin, le dôme qui, à plus de 200 m de haut, offre, depuis sa galerie, un panorama fantastique sur la capitale.

Le vœu national

Pour expier les horreurs de la guerre de 1870 et de la Commune, Alexandre Legentil et Hubert Rohault de Fleury font le vœu d'édifier une église consacrée au Cœur du Christ. Le cardinal Guibert propose alors le site de la butte Montmartre pour ériger la basilique qui sera entièrement financée par des collectes de dons.

La construction

L'architecte Paul Abadie réalisa un bâtiment dans un style romano-byzantin. Le premier coup de pioche fut donné en 1875 pour creuser

COORDONNÉES

Voir p. 34
Montmartre
M° Abbesses ou Anvers
+ funiculaire
Voir plan C1
☎ 01 53 41 89 00
www.sacre-coeur-montmartre.com
Basilique : ouv t l j. 6h-22h30, accès libre
Dôme pour le panorama sur Paris et crypte : 9h15-17h30
Accès payant.

Les Invalides

Louis XIV fait appel à Libéral Bruant et Jules Hardouin-Mansart pour construire un bâtiment destiné à héberger les soldats invalides ou les vétérans de ses armées. Les travaux débutent en 1670 sur la plaine de Grenelle, alors inoccupée, et s'achèveront en 1706.

L'hôtel des Invalides

Le bâtiment construit par Libéral Bruant accueille les premiers blessés de guerre dès 1674. À la fin du XVIIᵉ s., ils étaient 4 000 pensionnaires dont la vie était réglée comme celle d'une caserne. Pour occuper le temps, ils travaillaient dans des ateliers de confection d'uniformes ou de cordonnerie.

L'église du Dôme

Les plus grands artistes de Louis XIV, comme Charles de La Fosse, travaillèrent à la décoration de l'église du Dôme, faisant d'elle un chef-d'œuvre de l'architecture classique française. Achevée en 1706, son dôme culmine à 101 m et abrite depuis 1840 le tombeau en porphyre rouge de Napoléon.

L'église Saint-Louis-des-Invalides

Achevée en 1679, cette église dite aussi « église des Soldats », est destinée au culte quotidien. Sa décoration intérieure très sobre se voit agrémentée tout le long de la voûte par des trophées militaires. Là reposent les gouverneurs des Invalides et de grands chefs militaires.

Le musée de l'Armée et les Plans-Reliefs

Il retrace l'histoire militaire depuis la Renaissance jusqu'à la dernière guerre mondiale, on y voit des armures, dont celle de François Iᵉʳ, mais aussi des armes, des trophées, des uniformes et une collection de 1 500 figurines. Les plans-reliefs sont des maquettes représentant les villes fortifiées de France. Commandées par Louis XIV et complétées par Louis XV, Napoléon et ses successeurs, elles étaient classées « secret défense ».

COORDONNÉES

Voir p. 64
Place des Invalides, 75007
Mº La Tour-Maubourg ou Varenne
Voir plan B3
☎ 01 44 42 37 72
www.invalides.org
T. l. j. sf le 1ᵉʳ lun. de chaque mois, 1ᵉʳ janv., 1ᵉʳ mai, 1ᵉʳ nov. et 25 déc.
10h-17h oct.-mars, 10h-18h avr.-sept.
Accès payant.

Musée d'Orsay

Inauguré en 1986, le musée est installé dans une ancienne gare désaffectée. Il regroupe des œuvres d'art allant de 1848 à 1914, qui étaient auparavant au Louvre et surtout au musée du Jeu de paume. Des legs et des achats sont venus compléter la collection de peintures, de sculptures, d'arts graphiques et décoratifs. Difficile dans ce cas de décrire tout le contenu des trois niveaux d'exposition.

Le rez-de-chaussée

Ici sont regroupées des sculptures classiques, des maquettes comme celle de l'Opéra en 1900, mais surtout la peinture de 1848 à 1870 : *La Chasse aux lions* de Delacroix, *La Source* d'Ingres, les œuvres monumentales de Courbet, dont *L'Origine du monde*, des pastels de Fantin Latour… À voir aussi les étonnantes têtes des parlementaires caricaturés par Daumier.

Le niveau médian

Les toiles des nabis avec Vuillard et Bonnard sont les derniers courants présentés avec Redon et ses panneaux décoratifs. Le reste de ce niveau est consacré aux impressionnantes sculptures de Rodin sans oublier l'émouvant bronze de *L'Âge mûr* de sa compagne, Camille Claudel. Les arts décoratifs terminent la visite du musée avec le mobilier Art nouveau, dont celui de Guimard.

Le niveau supérieur

Beaucoup d'impressionnistes comme Manet (*Sur la plage*), Caillebotte (*Les Raboteurs de parquet*) ou Renoir (*Bal du moulin de la Galette*) sont présents à ce niveau. À noter l'école de Pont-Aven avec Gauguin (*Le Moulin David*) et les pointillistes comme Seurat (*Le Cirque*). Dans les parties attenantes, ne manquez pas les pastels de Toulouse-Lautrec (*La Toilette*), la salle Van Gogh (*L'Arlésienne*) et la salle Cézanne (*Baigneurs*).

COORDONNÉES

Voir p. 45
Parvis, 1, rue de la Légion-d'Honneur, 75007
M° Solferino,
RER Musée-d'Orsay
Voir plan C3
☎ 01 40 49 48 14
www.musee-orsay.fr
Mar.-dim. 9h30-18h (jeu. 21h15) ; f. 1er janv., 1er mai, 25 déc.
Accès payant.

Cathédrale Notre-Dame

C'est l'évêque Maurice de Sully qui décide d'édifier en 1160 une nouvelle cathédrale dans le style gothique. La construction s'étalera sur plusieurs siècles, les architectes se succéderont et l'édifice sera achevé vers 1350. Notre-Dame de Paris, depuis le XIIe s., est un lieu de culte lié à l'histoire de France, mais aussi un joyau de l'histoire de l'art et une source d'inspiration pour les poètes comme Victor Hugo.

La rose Nord présente la Vierge entourée des personnages de l'Ancien Testament, la rose Sud, le Christ parmi les anges et les saints. Le grand orgue sous la rose Ouest, avec ses 8 000 tuyaux, est l'un des plus importants de France. Le trésor est constitué de pièces d'orfèvrerie et des reliques achetées par Saint Louis, la Couronne d'épines, le Saint Clou et un fragment de la Vraie Croix.

rosace et plus haut une galerie ajourée qui relie les deux tours. On peut monter dans les tours qui s'élèvent à 69 m et voir la galerie des Chimères et le grand bourdon, Emmanuel. Il faut absolument faire un tour dans le square Jean-XXIII pour admirer le chevet de la cathédrale et ses arcs-boutants.

L'extérieur

En façade, les trois portails, celui de la Vierge à gauche, du Jugement dernier au centre et à droite le plus ancien, celui de sainte Anne, sont surmontés par la galerie des rois de Juda et d'Israël. Au-dessus, une belle

L'intérieur et les vitraux

Avec 130 m de long pour 48 m de large, l'espace intérieur de la cathédrale est divisé en 5 nefs, tandis que le transept est illuminé par de magnifiques verrières.

COORDONNÉES

Voir p. 53
6, pl. du Parvis-Notre-Dame, 75004
Mº Cité
Voir plan D3
☎ 01 42 34 56 10
www.cathedrale
deparis.com
Cathédrale : 8h-18h, accès libre.
Les tours : oct.-mars 10h-16h45, avr.-sept. 9h30-18h15, accès payant.
Crypte archéologique : mar.-dim. 10h-17h30, accès payant.

Musée du Quai-Branly

Dix ans furent nécessaires pour que ce musée sorte de terre et soit inauguré en juin 2006. Dans ce bâtiment conçu par Jean Nouvel sont regroupées les collections du musée national des Arts d'Afrique et d'Océanie et celles du laboratoire d'ethnologie du musée de l'Homme, au total 300 000 œuvres dont 3 500 exposées.

Le bâtiment et le jardin

Tout commence par un grand mur végétal le long de la Seine, puis une paroi de verre qui protège des vents le jardin « animiste » qui entoure le musée. Des sentiers serpentent entre les collines et les graminées, découvrent des pierres de torrent, des incrustations d'insectes dans des cabochons de verre et nous mènent vers le musée monté sur pilotis. Des boîtes colorées émergent de la façade pour créer à l'intérieur des petites salles aux allures mystérieuses.

Les collections

La visite ondule entre les continents. Le sol est rouge, vous êtes en Océanie avec des masques de Mélanésie, un étonnant poisson-reliquaire des îles Salomon, ou encore des parures en or provenant de l'Insulinde, sans oublier les peintures aborigènes sur écorce. Le sol est orange, vous êtes en Asie avec de remarquables textiles provenant des minorités chinoises comme les Miao. Le sol est jaune, vous êtes en Afrique avec ses statuettes magiques, ses masques, ses cimiers de danse. Le sol est bleu, vous êtes aux Amériques avec la tradition inuite, les parures de plumes des peuples amazoniens, les sculptures Taino des Antilles précolombiennes et les œuvres mayas, olmèques, aztèques…

COORDONNÉES

Voir p. 67
Accès : 27, 37 et 51 du quai Branly, et au 206 et 218 de la rue de l'Université, 75007
RER C Pont-de-l'Alma ;
M° Bir-Hakeim ou Alma-Marceau ; bus 42 arrêt La Bourdonnais
Voir plan A3
☎ 01 56 61 70 00
www.quaibranly.fr
Mar.-dim. 10h-18h30 (jeu. 22h)
Accès payant.

Centre Georges-Pompidou

Le centre Pompidou présente ses collections d'art contemporain dans une architecture révolutionnaire sortie de l'imagination de Renzo Piano et Richard Rogers. Ce bâtiment réalisé en 1977 cherche à préserver l'espace intérieur et repousse à l'extérieur escalators et conduits techniques. Ainsi la couleur des gaines correspond à leur fonction, le bleu pour l'air conditionné, le vert pour les fluides, le rouge pour les déplacements et le jaune pour l'électricité. À l'intérieur se trouvent un musée, des salles d'expositions temporaires, une bibliothèque, la reconstitution de l'atelier de Brancusi et, au sommet, un restaurant, Le Georges, avec une très belle vue sur Paris.

Les collections contemporaines (niveau 4)

Le design, l'architecture, la vidéo et l'art graphique ont une place importante dans cet espace consacré à la période allant des années 1960 à nos jours. La visite commence par un hommage au sculpteur Tinguély. À découvrir, le pop art d'Andy Warhol et de Rauschenberg qui détourne les objets du quotidien côtoie le nouveau réalisme d'Arman et de César qui utilise des matériaux de récupération. L'art cinétique, l'Arte povera et la nouvelle peinture figurative complètent l'évolution artistique des quarante dernières années.

Les collections historiques (niveau 5)

Cet étage regroupe des œuvres de la première moitié du XXᵉ s. Dans les premières salles, vous découvrirez le fauvisme avec Bonnard (L'Atelier aux mimosas) et Matisse (Le Rêve). À voir ensuite absolument la fabuleuse collection de sculptures cubistes que possède le musée, la peinture de Braque intitulée L'Homme à la guitare et le Portrait de jeune fille de Picasso, qui appartiennent également à ce courant. Le dadaïsme de Duchamp, l'abstraction de Delaunay, Klee avec Le rythme ou encore Kandinsky nous conduisent jusqu'à l'école de Paris. Le surréalisme de Dalí avec notamment Six images de Lénine sur un piano nous amène aux années 1950.

Pour cause de travaux jusqu'en février 2007, le musée présentera ses collections de façon thématique.

COORDONNÉES

Voir p. 47
Pl. Georges-Pompidou, 75004
Mᵒ Châtelet, Rambuteau
Voir plan D3
☎ 01 44 78 12 33
T. l. j. 11h-22h ; f. mar. et le 1ᵉʳ mai
Accès payant.

Place des Vosges

Située dans le quartier du Marais, c'est l'une des plus belles places de la capitale. Elle se compose de 36 pavillons, dont ceux du Roi et de la Reine au nord et au sud, un peu surélevés par rapport aux autres. Ils sont tous construits dans les mêmes matériaux :

pierre blanche pour les arcades, brique rouge (ou un enduit l'imitant) pour les maisons et ardoise bleue pour les toitures. Des antiquaires, des libraires ou des galeries d'art se sont installés au rez-de-chaussée autour d'un superbe jardin.

400 ans d'histoire

Née d'une initiative royale, la place doit son existence à un drame, le décès d'Henri II après un tournoi à l'hôtel des Tournelles. Son épouse, la reine Catherine, fit raser la demeure, et c'est Henri IV qui décida d'exploiter cet espace devenu libre. Claude Chastillon en fit les plans et Clément Métezeau dessina les façades, les travaux débutèrent en 1605 et, en 1612, on y organisa un grand carrousel pour célébrer les fiançailles de Louis XIII et la naissance de cette place royale. Elle devint jusqu'au XVIIIe s. le centre le plus animé de la capitale. La marquise de Sévigné y est née le 5 février 1626. Bossuet, Richelieu, Théophile Gautier ont été de célèbres locataires

de l'endroit. Pour l'anecdote, sachez que la place a été baptisée ainsi en 1800 par Napoléon, les Vosges ayant été la première région à payer ses impôts.

La maison de Victor Hugo

L'écrivain habita de 1832 à 1848 au deuxième étage de l'immeuble le plus spacieux de la place, l'hôtel Rohan-Guéménée. C'est là qu'il a écrit *Ruy Blas*, le début des *Misérables* et celui de *La Légende des siècles*. Pour le centenaire de sa naissance, en 1902, un musée y a été créé, qui évoque les moments importants de la vie de l'auteur. Le premier étage propose photos, dessins et expositions temporaires sur

l'écrivain. Le deuxième étage suit sa vie, de sa jeunesse à sa mort en passant par son exil à Guernesey

COORDONNÉES

Voir p. 48
Pl. des Vosges, 75004
M° Chemin-Vert - Bastille - Saint-Paul
Voir plan D3
La maison de Victor Hugo ; 6, pl. des Vosges, 75004
☎ 01 42 72 10 16
Ouv. mar.-dim. sf j. f. 10h-18h
Accès payant.

Musée Carnavalet

L'endroit n'a pas la popularité des grands musées et pourtant, avec la réunion des deux hôtels particuliers, ce sont de véritables trésors qui y sont présentés. L'histoire de la capitale française est retracée chronologiquement, de la préhistoire à nos jours, à l'aide de peintures, de sculptures et surtout de mobilier et d'objets du quotidien.

Les toiles de Corot nous amènent au début du XXᵉ s. avec *La Chambre de Marcel Proust*. La salle de bal de l'hôtel Wendel, dans un décor des années 1930 raconte le départ de la reine de Saba et trouve son égal dans la dernière salle avec le décor de la bijouterie Fouquet, réalisé par Mucha et qui est un chef-d'œuvre du genre.

L'hôtel Carnavalet

La visite commence par les deux fameuses salles d'enseignes de boutiques parisiennes dont la dernière acquisition est celle du cabaret du Chat Noir. À voir, les décors de boiseries blanc et or du salon de l'hôtel d'Uzès réalisés par Ledoux, les plafonds du grand cabinet et de la grande chambre de l'hôtel La Rivière situé place des Vosges et peints par Le Brun. La célèbre locataire des lieux, Mᵐᵉ de Sévigné, est évoquée par des portraits. Le mobilier Louis XV, comme le salon du graveur Demarteau peint par Boucher et Fragonard, annonce le passage à la seconde partie du musée.

L'hôtel Le Peletier de Saint-Fargeau

L'orangerie abrite les objets découverts lors de fouilles archéologiques comme les deux pirogues néolithiques et une étonnante trousse d'un médecin-chirurgien de l'époque gallo-romaine. La Révolution est représentée par un portrait de Danton et un buste de Mirabeau. Les quelques éléments du mobilier de Louis XVI et de sa famille lorsqu'ils furent incarcérés au donjon du Temple sont également très impressionnants. Pour évoquer le Premier Empire, le célèbre *Portrait de Madame de Récamier* par François Gérard est évocateur.

COORDONNÉES

Voir p. 49
23, rue de Sévigné, 75003
M° Saint-Paul - Chemin-Vert
Voir plan D3
☎ 01 44 59 58 58
www.carnavalet.paris.fr
Mar.-dim. 10h-18h, sf j. f.
Accès gratuit aux collections permanentes.

Musée Picasso

L'hôtel Salé, bâtit au XVIIe s. par un fermier général des gabelles (impôts sur le sel, d'où le surnom populaire de « Salé »), abrite depuis 1985 les collections du musée national Picasso. Grâce à deux dations, les héritiers se sont acquittés du paiement des droits de succession en cédant à l'État une sélection d'œuvres. L'accrochage conserve un ordre chronologique avec de temps en temps des incursions thématiques.

Le premier étage

Vous pourrez y voir les œuvres de l'artiste appartenant à la période bleue, comme l'*Autoportrait bleu* de 1901, réalisé alors qu'il n'avait que

COORDONNÉES

Voir p. 49
Hôtel Salé, 5, rue de Thorigny, 75003
M° Saint-Paul
Voir plan D3
☎ 01 42 71 25 21
www.musee-picasso.fr
Mer.-lun. avr.-sept. 9h30-18h, oct.-mars 9h30-17h30
Accès payant.

20 ans. Viennent ensuite les études préparatoires pour son tableau *Les Demoiselles d'Avignon* (salle 2) ainsi que différentes toiles cubistes : *L'Homme à la guitare, Nature morte à la chaise canée* (salle 4). Les salles 5 et 6 abordent la période classique du peintre dans le début des années 1920 se caractérisant par un « retour à l'ordre ». Enfin, la salle 7 est consacrée aux papiers collés.

Le rez-de-chaussée

Les salles 8, 9 et 10 sont consacrées au travail de Picasso autour de la céramique et de ses techniques avoisinantes. Des photos, à partir de 1947, nous montrent l'artiste dans les ateliers. On passe ensuite dans le jardin des sculptures qui présente des bronzes mais aussi des œuvres qui sont de véritables collages dans l'espace, réalisés à partir d'objets récupérés.

Le sous-sol

Les salles 13, 14, 15 sont consacrées à la période qui va de 1926 à 1931. On y voit des œuvres très différentes dont *Le Baiser*, 1925, d'une grande intensité, *Le Peintre et son modèle*, 1926, *La Guitare*, 1924, et quelques sculptures. L'esthétique surréaliste est abordée dans la salle 14 avec *La Femme lançant une pierre*, 1931, *La Femme au fauteuil rouge*, 1932, qui sont des tableaux où se mêlent humour, érotisme, mystère et violence. Salle 15, une grande sculpture, *La Femme au jardin*, 1930, un tableau, *L'Atelier*, 1928-29, et surtout *La Grande Baigneuse*, 1929, dont la tête semble représenter la Mort. Enfin, dans les salles 16 et 17, *Le Grand Nu couché*,1932, lié à l'idée de la fécondité, *La Grande Nature morte au guéridon*, 1931, et *La Crucifixion*, de 1930.

Séjourner **mode d'emploi**

Hôtels

Les fourchettes de prix des chambres doubles sont environ de 45 à 70 € pour un établissement une étoile, de 80 à 115 € pour deux étoiles, de 110 à 180 € pour trois étoiles. Au-delà, les prix dépassent allègrement 200 € par nuit. Les « étoiles » hiérarchisant les établissements, décernées par le ministère du Tourisme et la préfecture, et indiquées dans ce guide, prennent en compte la taille des chambres, le confort, s'il y a une garde de nuit ou non, le personnel bilingue ou trilingue, bref, des

SE REPÉRER

Nous avons indiqué à la suite de chacune des adresses du chapitre Séjourner sa localisation sur le plan placé à la fin du guide.

critères divers et variés. D'un quartier à l'autre, d'un hôtel à l'autre, il est impossible d'unifier la classification des hôtels.

Réserver une chambre

D'avril à novembre ou au moment d'une grande manifestation, il est indispensable de réserver, par Internet ou par téléphone puis de confirmer par courrier ou par fax. Sauf en mai, juin, septembre ou octobre, vous pouvez essayer de négocier le prix d'une chambre de luxe pour une chambre plus simple ou d'obtenir une réduction de 30 à 40 %. Résultat non garanti… L'office de tourisme de Paris est à même de vous aider à vous loger et à réserver :
www.parisinfo.com
☎ 0892 68 3000
(0,34 €/min).

Il existe aussi des services centralisés de réservations hôtelières sur Internet :
www.ely1212.com,
www.parishotels.com,
www.parisreservations.net,
www.paris-travel.fr
Pour bénéficier de tarifs négociés, faites appel aux services des centrales de discount :
www.hoteldiscount.fr ou
☎ 0892 640 002,
www.hotels.com,
☎ 0892 393 393
(0,34 €/min).

Les services

Si vous avez des enfants, vous pouvez demander un lit supplémentaire dans une chambre double ou négocier une suite. Le petit déjeuner n'est pas toujours compris dans le prix de la chambre. Compter de 7 à 18 € suivant l'établissement. Si vous avez la télé dans la chambre, tant mieux. En revanche, méfiez-vous des petites bouteilles dans le minibar s'il y en a un : elles sont souvent au prix d'une grande.

Résidences de tourisme et chambres en ville

Résidences de tourisme, chambres chez l'habitant sont prêtes à vous accueillir. Vous trouverez des informations à l'office de tourisme ou sur le site Internet spécialisé dans les Bed & Breakfast : www. bedbreak.com (☎ 01 34 19 90 00). Pour plus d'authenticité, des pensions de famille qui offre des formules en demi-pension :
Pension les Marronniers, 78, rue d'Assas, 75006, C4, M° Notre-Dame-des-Champs, ☎ 01 43 26 37 71, 83,40 € la chambre avec douche, petit déjeuner et dîner inclus dans un décor bourgeois rustique. Pour les jeunes qui veulent se loger bon marché, il existe des centres d'hébergement et des auberges de jeunesse :
Auberge internationale des jeunes, 10, rue Trousseau, 75011, E3, M° Ledru-Rollin, ☎ 01 47 00 62 00, www.aijparis.com
La plus sympa avec sa façade ornée de drapeaux de tous les pays. À condition d'avoir moins de 25 ans et de ne pas séjourner plus de 4 ou 5 nuits, vous pourriez bénéficier au prix de 13, 15 ou 17 € selon la saison, d'une chambre à 2, 3 ou 4 personnes. Il y a aussi un service micro-ondes et une borne internet.
CISP Maurice-Ravel, 6, av. Maurice-Ravel, 75012, HP par E4, M° Porte-de-Vincennes, ☎ 01 44 75 60 00,

www.cisp.asso.fr
À proximité du bois de Vincennes et de la piscine Roger-Le Gall, vous trouverez ici quel que soit votre âge, un hébergement en chambre double au prix de 25 € la nuit. Un self ouvert tous les jours propose un repas complet pour 10,50 €. Le séjour ne doit pas excéder une semaine. Ou encore au :
CISP Kellerman, 17, bd Kellerman, 75013, HP par D4, M° Porte-d'Italie, ☎ 01 44 16 37 38, le plus sympa et le plus branché. Mêmes tarifs et mêmes prestations que le précédent. Vous pouvez également camper (15 €/nuit) ou dormir dans un mobile home (à partir de 60 €/nuit) au bois de Boulogne (Camping : 2, allée du Bord-de-l'Eau, 75016 ☎ 01 45 24 30 00.)

Restaurants

On trouve de tout à Paris, à tous les prix, de la cuisine bien française ou exotique, sophistiquée ou régionale, dans un petit bistrot, une brasserie animée ou un restaurant gastronomique. Si l'adresse est réputée, il vaut mieux réserver. Malheureusement,

les quartiers touristiques ne sont pas toujours synonymes de hauts lieux gastronomiques et les prix pratiqués dépassent souvent la qualité du repas. Soyez vigilant notamment à Montmartre, aux Halles ou à Montparnasse, hormis pour quelques adresses reconnues de longue date.

Combien ça coûte ?

Les prix indiqués sur la carte sont toujours ceux d'un plat pour une personne. Certains restaurants proposent des menus à prix fixe auquel il faut ajouter les boissons. Le prix moyen d'un bon repas sera toujours plus élevé qu'en province. On peut dîner pour environ 12 € dans un petit resto, mais il vaut mieux compter entre 15 et 20 € par personne. Il est d'usage de laisser un pourboire au garçon (environ 15 % de l'addition).

LES RESTAURANTS LA NUIT

Le service est généralement assuré jusqu'à 22h-23h. Au-delà, vous pouvez aller au **Pied de Cochon** (6, rue Coquillière, 75001, C2, M° Palais-Royal, ☎ 01 40 13 77 00), à l'**Alsace** (39, av. des Champs-Élysées, 75008, B2, M° Franklin-D.-Roosevelt, ☎ 01 53 93 97 00, www.lesfreresblanc.com), ou au **Grand Café** (4, bd des Capucines, 75009, C2, M° Opéra, ☎ 01 43 12 19 00), qui restent ouverts toute la nuit. Vous avez aussi le choix entre l'un des restaurants de ces chaînes franchisées : Hippopotamus, Le Bistro Romain ou Léon, par exemple, qui sont ouverts tard, tout comme les fast-foods...

Hôtels

1 - Select
2 - Hôtel Saintonge
3 - Les Deux Îles
4 - L'Hôtel

Britannique★★★

20, av. Victoria, 75001 (D3)
M° Châtelet
☎ 01 42 33 74 59
🖷 01 42 33 82 65
De 168 ou 193 € la double.

Dans une avenue calme, à deux pas des bouquinistes et des pépiniéristes, 39 chambres très confortables dans un hôtel créé en 1840 par des Anglais. Un petit côté british avec des fauteuils club, des reproductions de tableaux de Turner (60 % de la clientèle est américaine et anglaise). Modernité aussi avec l'accès Internet.

Hôtel de Noailles★★★★

9, rue de la Michodière, 75002 (C2)
M° Opéra
☎ 01 47 42 92 90
🖷 01 49 24 92 71
www.paris-hotel-noailles.
com
De 160 à 265 € la double.
Élu meilleur hôtel Golden Tulip de France en 2005 et 2006, l'Hôtel de Noailles est situé juste en face de L'Usine, un centre de sport et de détente où se retrouvent les stars… (les clients de l'hôtel bénéficient d'un tarif préférentiel, sinon ils peuvent

profiter du petit sauna de l'hôtel). 59 chambres modernes, tout confort et climatisées. L'été on peut prendre son petit déjeuner en terrasse.

Hôtel Saintonge★★★

16, rue de Saintonge, 75003 (D2-3)
M° Filles-du-Calvaire
☎ 01 42 77 91 13
🖷 01 48 87 76 41
www.hotelmarais.com
115 € la double.

Derrière les Archives nationales, au cœur du Marais, un hôtel à l'image du quartier : cave voûtée pour le petit déjeuner, murs en pierre, poutres, un confort moderne et une agréable ambiance conviviale.

Le Pavillon de la Reine★★★★

28, pl. des Vosges, 75003 (D3)
M° Saint-Paul ou Bastille
☎ 01 40 29 19 19
📠 01 40 29 19 20
www.pavillon-de-la-reine.com
405 € la double.

Un lieu de rêve sur l'une des places les plus attachantes de la capitale. 56 chambres pour se croire à une autre époque, dans le calme puisqu'elles donnent toutes sur une cour ou un petit jardin. Une décoration raffinée : boiseries aux murs, baldaquins, meubles de style Louis XIII, et le confort absolu. Pour amoureux du Grand Siècle.

Les Deux Îles★★★

59, rue Saint-Louis-en-l'Île, 75004 (D3)
M° Pont-Marie
☎ 01 43 26 13 35
📠 01 43 29 60 25
www.hotel-ile-saintlouis.com
170 € la double.

Dix-sept petites chambres en pleine île Saint-Louis, toutes insonorisées. Des salles de bains carrelées dans un style azulejos portugais, des tissus provençaux, trois salons en sous-sol où prendre son petit déjeuner, un charme de bon aloi.

Caron de Beaumarchais★★★

12, rue Vieille-du-Temple, 75004 (D3)
M° Hôtel-de-Ville
☎ 01 42 72 34 12
📠 01 42 72 34 63
www.carondebeaumarchais.com
125 à 162 € la double.

Beaumarchais a habité à trois pas de là ; son *Mariage de Figaro* a inspiré le décor des charmantes 19 chambres climatisées : tissus d'après les modèles d'époque, meubles anciens, carrelage des salles de bains réalisé par un artisan et peint à la main, cheminée Louis XVI dans le salon et un sol en pierre et cabochons.

Hôtel Bourg Tibourg★★★

19, rue du Bourg-Tibourg, 75004 (D3)
M° Hôtel-de-Ville
☎ 01 42 78 47 39
📠 01 40 29 07 00
www.bourgtibourg.com
220 € la chambre double.

Situé dans le Marais, l'hôtel Bourg Tibourg, permet de rayonner vers la place des Vosges, le musée Picasso, Notre-Dame, vers le cœur historique de Paris. Entièrement rénové par Jacques Garcia, il offre un décor étonnant, romantique, avec une touche de néogothique et d'orientalisme. Les 37 chambres sont confortables et jouissent de toutes les commodités.

Select★★★

1, pl. de la Sorbonne, 75005 (C4)
M° Cluny-La Sorbonne
☎ 01 46 34 14 80
📠 01 46 34 51 79
www.selecthotel.fr
159 à 185 € la double.

Un décor contemporain original dans une maison avec poutres apparentes. Autour du patio, sous un dôme de verre où grimpe une végétation abondante, les salons. 68 chambres climatisées, spacieuses, un bar en sous-sol, une cascade. Situé à deux pas du jardin du Luxembourg, idéal pour s'adonner au footing du dimanche matin.

Notre-Dame★★★

19, rue Maître-Albert, 75005 (C3)
M° Maubert-Mutualité
☎ 01 43 26 79 00
📠 01 46 33 50 11
www.hotel-paris-notredame.com
155 à 165 € la double.

Au calme, en face de la cathédrale, 34 chambres meublées « ancien », certaines avec poutres et pierres apparentes, salles de bains avec w.-c., coffre, TV et, ce qui ne gâte rien, un accueil attentionné. Dans le salon, une magnifique tapisserie d'Aubusson.

L'Hôtel★★★★

13, rue des Beaux-Arts, 75006 (C3)
M° Saint-Germain-des-Prés
☎ 01 44 41 99 00
📠 01 43 25 64 81
www.l-hotel.com
255 à 280 € la double.

Un véritable hôtel de charme où chaque chambre a son histoire, retraçant l'art de vivre à Paris par un décor, des meubles et des objets d'art anciens. Dans la chambre Oscar-Wilde, un décor british avec au mur des lettres de relance indiquant qu'Oscar Wilde a bien séjourné ici, sans jamais régler sa note ! Dans la chambre Mistinguett, au décor Art déco, se trouvent le propre lit et la coiffeuse de la chanteuse. Enfin au sous-sol, sous les voûtes, un hammam et une piscine pour vous détendre.

Le Clos Médicis★★★

56, rue Monsieur-le-Prince, 75006 (C3-4)
M° Odéon
☎ 01 43 29 10 80
📠 01 43 54 26 90
www.closmedicis.com
185 à 270 € la double.

Demeure particulière à la fin du XIXᵉ s., cette résidence compte une suite en duplex et 38 chambres insonorisées et climatisées. Un salon avec cheminée et meubles anciens dans des teintes chaudes, du bois et de la pierre. Le plus agréable : un petit jardin où prendre le petit déjeuner ou l'apéritif lors des beaux jours.

Hôtel de l'Abbaye★★★

10, rue Cassette, 75006
(C3-4)
M° Saint-Sulpice
☎ 01 45 44 38 11
☏ 01 45 48 07 86
www.hotel-abbaye.com
205 à 462 € la double petit
déjeuner compris.

Dans un ancien couvent entre
cour et jardin (agréable pour
les petits déjeuners l'été),
44 chambres, pas très grandes
mais toutes différentes et confortables. Un accueil personnalisé,
un mélange raffiné de tradition
et de modernité donnent à cette
demeure, charmante et calme,
une réelle séduction.

Bersoly's

28, rue de Lille, 75007 (C3)
M° Rue-du-Bac
☎ 01 42 60 73 79
☏ 01 49 27 05 55
www.bersolyshotel.com
De 115 à 125 €, f. en août.
Dans le quartier des antiquaires
et proche du musée d'Orsay, cet
hôtel est installé dans un ancien
couvent du XVIIe s. Chacune des
16 chambres climatisées porte le
nom d'un peintre (Picasso, Renoir, Lautrec, Gauguin…) et la
reproduction d'une de leurs œuvres les décore ; un escalier de
pierre mène aux salles voûtées
du petit déjeuner.

Hôtel de l'Université★★★

22, rue de l'Université,
75007 (C3)
M° Rue-du-Bac
☎ 01 42 61 09 39
☏ 01 42 60 40 84

www.paris-hotel-universite.
com
De 165 à 175 € la double.

Situé dans le Carré Rive
gauche, ce petit hôtel qui existe depuis
1850 est idéal pour ceux qui
aiment chiner. Ses 27 chambres
toutes meublées à l'ancienne
sont confortables et très cosy,
on s'y sent bien et comme chez
soi. Les plus curieux pourront
demander d'aller jeter un œil à
la « crypte », les anciennes gla-
cières du XIIe s. de l'abbaye de
Saint-Germain-des-Prés.

Saint-Dominique★★

62, rue Saint-Dominique,
75007 (A3/B3)
M° La Tour-Maubourg
☎ 01 47 05 51 44
☏ 01 47 05 81 28
www.hotelstdominique.
com
123 € la double.

Dans un immeuble XVIIIe s.
restauré (poutres d'origine dans
la réception), 34 chambres avec
des meubles de style anglais, un
patio pour l'été. Une ambiance
« village », un emplacement
idéal pour passer la matinée au
musée d'Orsay, avant de faire les
boutiques du quartier Opéra.

Galileo★★★

54, rue Galilée, 75008 (A2)
M° George-V
☎ 01 47 20 66 06

☏ 01 47 20 67 17
www.galileo-paris-hotel.
com
165 € la chambre double.

Dans le « triangle d'or » de
George-V, un hôtel de 27 chambres climatisées, décorées dans
un style contemporain, avec des
meubles de designers, salles de
bains en marbre gris clair, une
cheminée et un jardin d'hiver
prolongé par un vrai jardin.

Le 123★★★★

123, av. du Faubourg-Saint-
Honoré, 75008
M° Saint-Philippe-du-Roule
☎ 01 53 89 01 23
☏ 01 45 61 09 07
www.astotel.com
De 245 à 390 € la double.

Le 123 est un hôtel-boutique
mis en scène par l'architecte
designer Philippe Maidenberg
et qui rappelle l'univers de la
haute couture par les matières
utilisées. Dans le hall et les
41 chambres, de la soie, du velours, du cuir, des mailles métalliques inspirées des robes de
Paco Rabane, l'ensemble traité
dans de belles harmonies de
couleurs et des lignes design.

Le Grand Hôtel Haussmann★★★

6, rue Helder, 75009 (C2)
M° Opéra
☎ 01 48 24 76 10

LES HÔTELS DE LUXE

· Le Meurice★★★★ luxe : 228, rue de Rivoli, 75001
(C2), M° Tuilerie, ☎ 01 44 58 10 10, ☏ 01 44 58 10 15,
www.lemeurice.com, 725 € la chambre double.
· Le Ritz Palace★★★★ luxe : 15, pl. Vendôme, 75001
(C2), M° Concorde, ☎ 01 43 16 30 30, ☏ 01 43 16 45 10,
www.ritzparis.com, de 680 à 770 € la chambre double.
· Le Crillon★★★★ luxe : 10, pl. de la Concorde,
75008 (B2), M° Concorde, ☎ 01 44 71 15 00,
☏ 01 44 71 15 02, www.crillon.com, de 630 à 695 €
la chambre double en fonction des saisons.
· Le Lutétia★★★★ supérieur : 45, bd Raspail, 75006
(C3), M° Sèvres-Babylone, ☎ 01 49 54 46 46,
☏ 01 49 54 46 00, www.lutetia-paris.com, de 230 à
380 € la chambre double.

1 - Hôtel Prima Lepic
2 - Hôtel de Noailles
3 - Le Pavillon de la Reine
4 - Hôtel Mac Mahon

☏ 01 48 00 97 18
www.hotelhaussmann.com
De 145 à 170 € la double.

À deux pas des grands magasins, les 60 chambres climatisées de cet hôtel offrent tout le confort moderne souhaité. Quant à leur décoration, elles ont chacune leur style, tantôt « grand style », tantôt classique.

Hôtel Mac Mahon★★★

3, av. Mac-Mahon, 75017 (A2)
M° Charles-de-Gaulle-Étoile
☏ 01 43 80 23 00
☏ 01 43 80 74 00
www.hotelmacmahon.com
De 165 à 195 € la double.

L'hôtel Mac Mahon est un bel immeuble haussmannien situé près des Champs-Élysées et de l'arc de Triomphe. Ses 52 chambres au grand confort et à la décoration classique bénéficient depuis 2004 de salles de bains toutes neuves dont la plupart sont équipées de douches hydromassantes… Pour les amateurs, juste à côté se

trouve le cinéma le Mac Mahon qui possède l'une des plus belles salles de Paris.

Hôtel Prima Lepic★★★

29, rue Lepic, 75018 (C1)
M° Abbesses ou Blanche
☏ 01 46 06 44 64
☏ 01 46 06 66 11
www.hotel-paris-primalepic.com
De 110 à 140 € la double.

Vous serez toujours bien accueilli dans cet hôtel de charme situé sur la butte Montmartre. Martine Bourgeon l'a entièrement rénové dans un style Napoléon III simplifié avec des fauteuils à capitons et des chaises en fer forgé laqué blanc. Les 38 chambres quant à elles sont plutôt romantiques et certaines

ont des lits à baldaquin ! L'ambiance y est familiale, comme celle qui règne dans la rue Lepic et sur la place des Abbesses.

Hôtel Relais Montmartre★★★

6, rue Constance, 75018 (C1)
M° Blanche
☏ 01 70 64 25 25
☏ 01 70 64 25 00
www.relaismontmartre.fr
De 150 à 190 € la double.

Des poutres bleues, vert olive, rouge, orangées ou mauves, des tissus liberty dans des tonalités assorties, des meubles anciens donnent à chacune des 26 chambres de ce petit hôtel de charme des allures de maison de campagne ou de pension anglaise. Vous y trouverez, à deux pas du Sacré-Cœur, un refuge bien douillet et un accueil à la hauteur

Restaurants

1 - Toi
2 - Pères et filles
3 - La Robe et le Palais
4 - L'Épi Dupin

grand travail autour des épices et des herbes pour sublimer les saveurs.

Le Soufflé

36, rue du Mont-Thabor, 75001 (C2)
M° Concorde
☎ 01 42 60 27 19
Lun.-sam. 12h-14h30, 19h-22h ; f. 15 jours en fév. et 3 sem. en août.

Voici un restaurant pas comme les autres, avec pour spécialité des soufflés salés et sucrés accompagnés d'une cuisine traditionnelle. Vous avez le choix entre la carte, un menu « Tout Soufflé » à 29,50 € ou un autre menu à 34 € avec de la viande ou du poisson.

Le Carré des feuillants

14, rue de Castiglione, 75001 (C2)
M° Concorde
☎ 01 42 86 82 82
www.carredesfeuillants.fr
Lun.-ven. Rés. nécessaire.
Déjeuner de saison à 65 € hors boisson. À la carte entre 120 et 130 €/pers. hors boisson.

Un des restaurants du chef Alain Dutournier. Un cadre contemporain pour une cuisine du Sud-Ouest épurée et revisitée. Des produits choisis, mis en place avec soin dans l'assiette et un

La Robe et le Palais

13, rue des Lavandières-Sainte-Opportune, 75001 (D3)
M° Châtelet
☎ 01 45 08 07 41
Lun.-sam.
Formules à midi entre 14 et 18 €, planches 12 € le soir à la carte à partir de 35 €.
Réservation nécessaire.

Au cœur de Paris, c'est un cadre chaleureux pour une cuisine traditionnelle à midi et plus élaborée le soir. Quant à la carte des vins, rien à redire avec plus d'une centaine de références venues directement des vignobles ; de quoi ravir les amateurs.

Une Journée à Peyrassol

13, rue Vivienne, 75002 (C2)
M° Bourse
☎ 01 42 60 12 92
www.peyrassol.com
Lun.-ven. 12h-14h et 20h-22h ; f. en août
Menu à 18 € sans truffe
À la carte entre 50 et 60 €/pers. sans le vin.

La Commanderie de Peyrassol, domaine viticole dans le Var, a ouvert ce bar à truffes pour vous faire déguster ses vins, AOC côtes-de-provence rouge, rosé (médaillé d'or) et blanc. La cuvée Château blanc accompagne à merveille la brouillade à la truffe ou les pommes de terre à la crème truffée. Tandis que la boutique vend le vin au prix du domaine.

Gallopin

40, rue Notre-Dame-des-Victoires, 75002 (C2)
M° Bourse
☎ 01 42 36 45 38
www.brasseriegallopin.com
T. l. j. midi-minuit
Formules de 19,50 à 33,50 € ; carte entre 40 et 45 €, rés. préférable.

Des boiseries de style victorien, un bar en acajou, une magnifique verrière, la brasserie Gallopin régale depuis 1876 les hommes d'affaires et les habitués du quartier par sa cuisine raffinée et traditionnelle. On choisit de préférence le foie gras, le filet de bœuf au poivre, la sole meunière ou le steak tartare.

Le Tambour

41, rue Montmartre, 75002 (C2)
M° Châtelet ou Les Halles
☎ 01 42 33 06 90
Dim. 18h-1h, les autres jours 18h-3h30 ; f. à midi les dim. et lun. ; bar ouvert à 5h30
Carte 25 et 30 €.

Une décoration étonnante : une rue de Paris dans une maison !

Tout y est, les pavés, la fontaine, de belles tables et, en terrasse, les tabourets qui se trouvaient dans les anciens terminus de bus ! Quant à la cuisine, le chef a toujours plein d'idées et la carte n'est pas maigre, escargots, foie gras, confit de canard, carré d'agneau, soupe de poisson…

Bofinger

5/7, rue de la Bastille, 75004 (E3)
M° Bastille
☎ 01 42 72 87 82
T. l. j. 12h-15h et 18h30-1h, 12h-1h les w.-e. et j. f.
Menu 20 € le midi et 30,5 € le soir.

On n'y va plus 24h/24 comme à la création en 1864 mais la vocation universelle de cette brasserie demeure, comme le voulait Bofinger au XIXe s. On y accueille le monde entier. C'est dans ce décor, aujourd'hui classé « lieu de mémoire », qu'on a servi les premières bières à la pression. Excellente carte « brasserie ». Ambiance

plus calme au premier étage où vous pourrez admirer les fresques de Hansi.

La Coupole

102, bd Montparnasse, 75006 (B4/C4)
M° Vavin
T. l. j. 8h30-1h.

Pour boire un verre en terrasse (couverte), manger un tartare ou des fruits de mer, participer à une soirée salsa, la célèbre brasserie des années 1930 où autrefois on draguait le gigolo reste un lieu bien parisien.

L'Épi Dupin

11, rue Dupin, 75006 (C3-4)
M° Sèvres-Babylone
☎ 01 42 22 64 56
Lun. soir au ven. soir
Midi : 2 formules à 24 et 26 €, le soir à la carte.

À côté du Bon Marché, dans une petite rue tranquille, l'Épi Dupin propose sous ses poutres anciennes une délicieuse cuisine française traditionnelle. Les spécialités les plus appréciées ? En entrée une Tatin d'endive

LES RESTAURANTS CLASSÉS

- **Le Grand Véfour :** 17, rue de Beaujolais, 75001 (C2), M° Palais-Royal, ☎ 01 42 96 56 27 , du lun. midi au ven. midi, f. en août. Carte 290 €/pers. vin compris.
- **La Tour d'Argent :** 15/17, quai de la Tournelle, 75005 (D3), M° Maubert-Mutualité, ☎ 01 43 54 23 31 ; f. lun. et mar. midi et le mois d'août. Carte 200 à 220 €/pers. vin compris.
- **Maxim's :** 3, rue Royale, 75008 (B2), M° Concorde, ☎ 01 42 65 27 94 ; f. sam. midi, dim. et lun. Carte 180 et 200 €/pers. vin compris.
- **Le Senderens** (anciennement Lucas Carton) : 9, pl. de la Madeleine, 75008 (B/C2), M° Madeleine, ☎ 01 42 65 22 90 ; t. l. j. 12h-14h45 et 19h30-23h15, f. les w.-e. en juil. et août. Carte 120 €/pers. vin compris.
- **La Pérouse :** 51, quai des Grands-Augustins, 75006 (C3), M° Saint-Michel, ☎ 01 43 26 68 04 ; lun.-ven. 12h-14h et 19h30-22h30, sam. 19h30-22h30, f. dim. et sam. midi. Menu en semaine à midi 30 et 45 €. Le soir Carte 85 €.
- **La Fermette Marbeuf :** 5, rue Marbeuf, 75008 (A/B2), M° Alma-Marceau, ☎ 01 53 23 08 00 ; t. l. j. 12h-15h et 19h-23h30. Menu à 30 € midi et soir. Carte env. 50 €.

caramélisée, sauce mielleuse à la coriandre, en plat le filet de raie poêlée et sa fondue de poireaux aux noisettes et fruits secs et en dessert une dariole au coulant de chocolat chaud sauce pistache…

Casa Bini

36, rue Grégoire-de-Tours, 75006 (C3)
M° Mabillon
☎ 01 46 34 05 60
T. l. j. 12h30-14h30 et 19h30-23h ; f. dim. en août
Formules déjeuner de 21 à 26 €, le soir à la carte 35 €.

Anna Bini est arrivée de Florence les bras chargés d'huile d'olive et de produits frais, comme les délicieux artichauts poivrades. Le succès ne s'est pas fait attendre, les Parisiens ont vite aimé la simplicité de sa cuisine aux parfums de Toscane.

Le Procope

13, rue de l'Ancienne-Comédie, 75006 (C3)
M° Odéon
☎ 01 40 46 79 00
T. l. j. 11h-minuit
(1h jeu.-sam.)
Menus à 19 et 24 € jusqu'à 19h30 ; carte 45 €.

Le plus ancien restaurant de la capitale.

Pères et filles

81, rue de Seine, 75006 (C3)
M° Odéon ou Mabillon
☎ 01 43 25 00 28
Lun.-jeu. 12h-14h30 et 19h30-23h, ven.-dim. 12h-14h30 et 23h30 (dim. 23h)
Formule 14 € à midi, à la carte entre 25 et 30 €.

Une bonne adresse avec une cuisine traditionnelle française. On a aimé les magrets de canard aux pêches caramélisées, le tartare de thon légèrement poêlé avec une purée maison et les raviolis aux cèpes. L'été on profite bien de la grande terrasse qui donne sur la rue piétonne.

Les Saveurs du Télégraphe

41, rue de Lille, 75007 (C3)
M° Assemblée-Nationale
☎ 01 42 92 03 04
Dim.-jeu. 12h-14h30 et 20h-22h30
Formule déjeuner à 50 € (entrée, plat, dessert)
À la carte 100 à 110 €/pers. boisson comprise.

Dans cette salle Art nouveau classée, on déguste sous une belle verrière des spécialités de foie gras en entrée et une cuisine française traditionnelle très raffinée. Pour vous mettre l'eau à la bouche… marbré de foie gras et poivron grillés escalope, noisette d'agneau rôtie en croûte d'agrumes servie avec un riz basmati façon Madras, gratin de fraises et framboises avec un sabayon au monbazillac…

Toi

27, rue du Colisée, 75008 (B2)
M° Franklin-D.-Roosevelt
☎ 01 42 56 56 58
T. l. j. 12h15h et 19h-minuit
Pour un verre dans l'après-midi et durant la nuit.
Menu 17 € à midi et 22 € à midi et le soir.

En bas, une salle très colorée dans des tons de rouge et d'orange vifs avec une déco des années 1970, un bar lumineux et une salle lounge non fumeur. À l'étage, une autre salle plus soft et plus feutrée dans des tons violet foncé et rose. La carte reflète une cuisine française inventive, en entrée le Must des trois pommes de terre (saumon, truffe, foie gras), en plat une poêlée de gambas flambées au pastis et en dessert trois petites crèmes brûlées vanille, Nutella et caramel.

Chartier

7, rue du Faubourg-Montmartre, 75009 (C2)

M° Grands-Boulevards
☎ 01 47 70 86 29
T. l. j. 11h30-15h et 18h-22h.

Un « bouillon » comme on n'en fait plus (classé). Il existe depuis 1896 et sert plus de 1 500 couverts par jour. Un décor 1900, une grosse horloge, une verrière… Le jeudi, les amateurs se bousculent pour manger du pied de cochon. Chacun son petit plaisir… entre 10 et 15 €.

Le Train Bleu

À l'intérieur de la gare de Lyon, pl. Louis-Armand, 75012 (E4)
M° Gare-de-Lyon
☎ 01 43 43 09 06
T. l. j. petit déjeuner 7h30, déjeuner 11h30-15h, dîner 19h-23h
Formules à 45 et 48 €.

Cette magnifique brasserie tient son nom du fameux *Train bleu* qui emmenait les voyageurs vers la Riviera. Alors avant de partir allez faire un tour dans cette historique brasserie où tout est voué au culte du voyage et que Colette ou Gabin aimaient particulièrement. Ce que vous risquez ? Rater votre TGV…

Le Bistrot de l'échanson

20, rue de la Gaîté, 75014 (B/C4)
M° Edgar-Quinet
☎ 01 43 22 86 46

1 - *La Coupole*
2 - *Le Train Bleu*
3 - *Prunier Traktir*
4 - *Une Journée à Peyrassol*

Lun.-ven. 12h-23h30,
sam,19h-23h30
Formule à 13,90 € (un plat
du jour ou une pêche du
moment avec un verre de
vin au choix).

Un décor design rouge, vert,
jaune pour ce bistrot qui se
démarque par ses vins. À côté
de la carte des vins Mercure, un
œnologue maison recherche
les petits producteurs et chaque
semaine sur les ardoises sont
indiqués, les coups de cœur et
les trouvailles de l'Échanson. On
déguste ces vins au verre, à la
demi-bouteille ou à la bouteille,
accompagnés d'une cuisine traditionnelle de bistrot cependant
très originale et pleine de bonnes
surprises.

Félicie

174, av. du Maine, 75014
(HP par C4)
M° Mouton-Duvernet
☎ 01 45 41 05 75
T. l. j. 7h-2h ; f. 24 déc. au
soir et 25 déc.
Formule à midi 11,90 €.

Un bistro vraiment à l'ancienne
qui nous régale de sa cuisine du

terroir. Chaque jour de nouvelles suggestions en fonction du
marché et une bonne carte des
vins. Viande de Salers, tartare de
bœuf de première qualité et tout
cela à des prix on ne peut plus
raisonnables.

Prunier Traktir

16, av. Victor-Hugo, 75016
(A2)
☎ 01 44 17 35 85
M° Charles-de-Gaulle-Étoile
Lun.-sam. 12h-14h30
et 19h-23h ; f. en août.

Un bijou des années 1920. La façade en pâte de verre turquoise
mérite le détour, tout comme le
restaurant, composition de marbre noir, d'acajou, de mosaïques
et de feuilles d'or. C'était une des
adresses des Windsor quand ils
étaient à Paris. Spécialiste des

poissons et fruits de mer, il est
le seul restaurant au monde à
produire son propre caviar et
cela se passe en Dordogne.

Living B'art

15, rue La Vieuville, 75010
(C1)
☎ 01 42 52 85 34
M° Abbesses
www.livingbart.fr
Mer.-sam. 11h30-minuit,
mar., dim. 11h30-18h
Dim. brunch à 16 €
Planches entre 9 et 12 €.

On y brunche, on y déjeune et on
y dîne. L'ambiance y est jeune,
familiale et toujours conviviale.
Le secret ? Des soirées qui se succèdent et ne se ressemblent pas
avec des conteurs, des musiciens
du monde, des spectacles de
marionnettes, des concours de
jeux de société, une ambiance
bon enfant de quartier comme
on en fait plus.

Sur le pouce

1 - Châo Bâ
2 - Le Rostand
3 - Kong
4 - L'As du Fallafel

Juvénile's

47, rue de richelieu, 75001
(C2)
M° Pyramides
☎ 01 42 97 46 49
Lun. 17h-2h, mar.-sam.
10h-2h
Formule à midi 14,50 € (plat
du jour, verre de vin du jour
et café), le soir formules à
17 et 23 €.

Le patron est écossais et toni-
truant en son genre, le lieu
est petit et mais immensément
chaleureux, on y mange des
tapas et une sélection de plats
traditionnels de bistrot avec des
saucisses-couteau de M. Duval,
de la panse de brebis farcie

arrosée d'une once de whisky,
une bonne sélection de fromages d'Angleterre et un fameux
gâteau, le Donald's Chocolate
Cake.

Le Pain quotidien

18, pl. du Marché-Saint-
Honoré, 75001 (C2)
M° Tuileries ou Pyramides
☎ 01 42 96 31 70
www.pain-quotidien.com
Lun.sam. 7h-23h,
dim. 7h-17h30.
Une bonne adresse pour manger sur le pouce. Des tartines
au basilic et parmesan avec un
filet d'huile d'olive à 6,50 €, des

assiettes d'aubergines grillées
farcies aux légumes avec des
tranches de mozzarella et des
tomates confites, des salades…
Il ne vous en coûtera guère plus
de 13 € pour un plat.

Kong

1, rue du Pont-Neuf, 75001
(C3)
M° Pont-Neuf
☎ 01 40 39 09 00
www.kong.fr
T. l. j. le restaurant de midi à
minuit et demi. Bar jusqu'à
2h en sem. et 3h ven.-sam.
Entrée, plat, dessert : 35 et
40 €/pers.

Une fluorescence, des canapés
en or, un champ d'orchidées,
des tables épidermiques, un DJ
Louis XV, un tapis de galets, des
sièges manchots, des murs punk,

des geishas… la plus belle vue de Paris, un décor signé Starck, une cuisine française avec des épices et des saveurs du Japon, bref un lieu plein de surprises !

L'As du Fallafel

34, rue des Rosiers, 75004 (D3)
M° Saint-Paul
☎ 01 48 87 63 60
Ven. 12h-16h, dim. 11h-minuit, lun.-jeu. 12h-minuit.
Assiette Fallafel à 12 €,
Fallafels à emporter à partir de 4 €.

Depuis 1979 ça tourne à cent à l'heure à l'As du Fallafel. Ce petit restaurant est renommé pour sa cuisine israélienne et ses fallafels, les meilleurs de Paris. Si l'on veut une place assise, mieux vaut arriver avant l'heure de pointe (13h), sinon il y a toujours le service de vente à emporter.

Les Phares

7, pl. de la Bastille, 75004 (E3)
M° Bastille
☎ 01 42 72 04 70
T. l. j. 7h-2h service en continu ; r.-v. philo dim. 11h-13h

Croques sympas à l'italienne et cafés intelligents. C'est dans ce café que le philosophe Marc Sautet, aujourd'hui décédé, a lancé le principe du café-philo. Mais aussi d'autres activités : échecs et backgammon, jazz le vendredi soir, expos de peintures ou de photos.

Chez les filles

64, rue du Cherche-Midi, 75006 (C4)
M° Sèvres-Babylone
☎ 01 45 48 61 54
Lun.-ven. 11h30-16h30, sam.-dim. 11h30-17h30.
Une petite cuisine rapide et délicieuse dans un décor oriental aux couleurs chaudes. Chaque jour à midi on vous concocte

un tagine différent (13 €) sinon vous pouvez essayer des salades. Dans l'après-midi on peut s'y arrêter pour prendre un thé et le dimanche matin pour bruncher (17 €).

Bar à soupes et quenelles

5, rue Princesse, 75006 (C3)
M° Mabillon
☎ 01 43 25 44 44
Lun. 10h-17h, mar.-ven. 10h-17h et 19h-23h30, sam. 10h-23h30
Formule à 9,50 € (soupe, quenelle et yaourt ou boisson) et 15,50 € (salade, soupe de fruits et boisson).

Une vraie adresse pour manger sur le pouce. Au centre le bar et autour les fauteuils en forme de Smarties multicolores. On s'y accoude ou on s'y attable pour apprécier de véritables quenelles lyonnaises Giraudet à la sauce Nantua par exemple ou déguster une bonne soupe chaude ou glacée selon la saison.

Le Rostand

6, pl. Edmond-Rostand, 75006 (C4)
RER Luxembourg
☎ 01 43 54 61 58
T. l. j, 8h-2h du matin
Plat du jour à 13 €.
Un café bien agréable qui donne sur le jardin du Luxembourg. C'est ici qu'ont lieu les vernissages des expositions qui s'affichent sur les grilles du jardin, de même que les signatures et les ventes aux enchères, la dernière en date étant celle des grandes photos de Yann Arthus-Bertrand. La terrasse très appréciée aux beaux jours est chauffée.

Le Voltaire

27, quai Voltaire, 75007 (C3)
M° Voltaire
☎ 01 42 61 17 49
Mar.-sam. 7h-19h ; f. août
Plat du jour à 12 €.

C'est un très bon restaurant mais c'est aussi une très bonne brasserie (et pour cause le chef est le même). L'espace n'est pas très grand, mais les salades y sont fraîches et bonnes, les plats du jour établis en fonction du marché aussi. Des tartes framboises et fraises, des clafoutis et les compotes de fruits frais de M. Picot (6 € le dessert).

Le Restaurant du Rond-Point

2 bis, av. Franklin-D.-Roosevelt, 75008 (B2)
M° Champs-Élysées-Clemenceau
☎ 01 44 95 98 44
Midi lun.-ven 12h-15h, soir mar.-sam.19h-minuit ;
f. 3 sem. en août
Formule à midi à 22 €.

Ouvert tard le soir on y croise les acteurs du théâtre qui jouxte, on peut aussi aller jeter un œil à la librairie à l'étage et assister à des soirées culturelles, débats littéraires ou à des lectures. À la carte une cuisine du monde et surtout pour manger sur le pouce l'assiette Rond Point (15 €) très complète.

Châo Bâ

22, bd de Clichy, 75018 (C1)
M° Pigalle
☎ 01 46 06 72 90
www.chaoba.com
T. l. j. 9h-2h
Midi formule à 15 € (plat et dessert du jour, café) ; soir à la carte 25 €/pers.

Un bel endroit branché plus calme dans la journée où l'on peut déguster à toute heure une cuisine franco-asiatique ou prendre un verre. Au menu par exemple : thon mi-cuit en croûte d'épices, poulet tandoori, nems, des salades thaïes… le tout dans un décor à la fois vietnamien et indien colonial. Super sympa !

Cafés, glaciers

1 - L'institut du monde arabe
2 - Ladurée
3 - Ladurée
4 - Berthillon

Angélina

226, rue de Rivoli, 75001 (C2)
M° Tuileries
☎ 01 42 60 82 00
Lun.-ven. 8h-18h45,
sam.-dim. 9h-19h.

Ce salon de thé, à la déco surannée, est l'endroit idéal où se poser après une visite au Louvre ou une balade aux Tuileries. Vous goûterez un inimitable chocolat chaud, l'*Africain* (6,5 €), qu'on vient déguster de tout Paris, que vous accompagnerez sûrement d'un *Mont Blanc*, gâteau à la meringue et crème Chantilly couvert de vermicelles de crème de marron (6,5 €).

Le Café Marly

93, rue de Rivoli, passage Richelieu, 75001 (C2)
M° Palais-Royal
☎ 01 49 26 06 60
T. l. j. 8h-2h.

Pour prendre un verre (en dehors des heures de repas) face à la pyramide ou déjeuner dans les très chic salons Napoléon III du duc de Morny, revus par Olivier Gagnère et Yves Taralon. Il existe aussi tous les jours une formule petit déjeuner à 13 €.

Le Jardin d'Hiver

228, rue de Rivoli, 75001 (C2)
M° Tuileries ou Concorde
☎ 01 44 58 10 44
T. l. j. 15h-18h30
Formules à 30 et 45 €

Sous la grande verrière Art nouveau de l'Hôtel Meurice, vous pouvez prendre un thé style « grande classe ». Laissez-vous séduire par la formule à 30 € qui comprend thé vert, noir ou parfumé Betjeman & Barton, scones maison, pâtisseries du chariot et mini sandwichs !

Berthillon

Rue Saint-Louis-en-l'Île, 75004, vente à emporter au n° 31 et salon de thé au n° 29 (D3)
M° Pont-Marie
☎ 01 43 54 31 61

Mer.-sam. 10h-20h ; f. mi-juil.-déb. sept. et durant les vacances scolaires.

Les meilleures glaces de la capitale, avec des parfums de saison toujours renouvelés et surprenants (voir Visiter p. 51).

L'Institut du monde arabe

1, rue des Fossés-St-Bernard Pl. Mohammed-V, 75005 (D4)
M° Jussieu
☎ 01 53 10 10 16
Restaurant : mar.-dim. midi 12h-14h30 et 19h-22h30 ; salon de thé 15h-18h ; f. 1er mai.
Premier menu à 50 €/pers. hors boisson.

Au sommet de l'Institut se trouve le restaurant gastronomique (cuisines marocaine et libanaise) et le salon de thé. La vue sur Paris et le chevet de Notre-Dame est splendide, on en profite doublement lorsque la terrasse est ouverte en été. Là on boit du thé à la menthe (3 €), on mange des cornes de gazelle, des *maamoul* aux pistaches et aux dattes, des loukoums, des *balouria* aux amandes et des baclavas (de 2 à 4 € pièce).

Ladurée

21, rue Bonaparte, 75006 (C3)
M° Saint-Germain-des-Prés
☎ 01 44 07 64 87
Lun.-sam. 8h30-19h30, dim. et j. f. 10h-19h30 ; restaurant 8h30-19h30
Menu entrée et plat à 32 €, plat unique à 27 €.

Vous passerez un excellent moment dans ce somptueux décor exotique au rez-de-chaussée, ou dans les salons Empire à l'étage. Sur la carte des pâtisseries, il sera bien difficile de faire son choix avec des noms si envoûtants et des saveurs si raffinées. La coupe *Violette-Cassis* ou le *Baiser Ladurée* fraise-coquelicot ? Un thé aux amandes

ou un thé *Jardin Bleu Royal* aux arômes de rhubarbe et de fraises des bois ? N'oubliez pas, la maison est célèbre pour ses macarons…

Le Shangai Café de la Maison de la Chine

76 bis, rue Bonaparte, 75006 (C3)
M° Saint-Sulpice
☎ 01 40 51 95 17.

La Maison de la Chine est aussi une maison de thé. Dès 10h30 on peut venir déguster des thés verts, bleus, rouges, noirs et blancs, des thés sublimes qu'ils vont eux-mêmes sélectionner en Chine. À condition de réserver, ils vous organisent une dégustation traditionnelle à la *gongfu cha* (15 €/pers.) où le thé très concentré dans une mini-théière en terre de Yixing est ensuite senti dans une tasse haute et dégusté dans une tasse basse. Les thés sont aussi vendus dans de ravissantes boîtes et les prix vont de 9,50 à 21 € les 75 g.

Le Bac à Glaces

109, rue du Bac, 75007 (B/C3)
M° Sèvres-Babylone
☎ 01 45 48 87 65
Salle lun.-sam. 12h-18h30, glaces à emporter lun.-ven. 11h-18h30, sam. 11h 19h ; f. 3 sem. en août
Cornets doubles 3,50 €, triples 4,50 € ; 1/2 l de 10 à 19 €.

Voilà une adresse à se damner, la maison fait des glaces sans produits chimiques, sans colorants, ni conservateurs ! Les coupes (6,90 € environ) portent des noms d'îles paradisiaques et si vous n'arrivez pas à choisir parmi tous les parfums extraordinaires, optez pour la « Palette dégustation » de six boules (6,90 €). Le point fort ? Le *Fort de chocolat*… et les *Insolites* comme les glaces au citron-basilic, thé vertmatcha, l'huile d'olive et tomates confites…

La Cristal Room Baccarat

11, pl. des États-Unis, 75016 (A2)
M° Boissière ou Trocadéro
☎ 01 40 22 11 00
www.baccarat.fr
Lun.-sam. 10h-21h ; musée f. mar. et dim. (voir Visiter p. 67).

Au premier étage dans l'ancienne salle à manger de Marie-Laure de Noailles, qui s'est vue doter d'une pointe de modernité par Philippe Starck, se trouve la Cristal Room Baccarat. Elle accueille les amateurs de petits déjeuners, déjeuners et dîners ainsi que les inconditionnels de collations sur le pouce dans l'espace Gallery Lunch Baccarat (12h30-17h). Des pâtisseries délicieuses et une sélection originale de thés et de tisanes.

Shopping **mode d'emploi**

Horaires d'ouvertures

Généralement de 9h30-10h à 18h30-19h (une nocturne par semaine dans les grands magasins qui, quelques semaines avant Noël, ouvrent aussi le dimanche).

Les Monoprix ne ferment qu'à 21h, voire 22h (minuit pour celui des Champs-Élysées). De nombreuses épiceries de quartier, les fameux « arabes du coin », souvent tenues par des commerçants maghrébins, ouvrent de bonne heure et n'éteignent leurs lumières que vers 23h ou minuit. Dans un autre registre, le Drugstore

Publicis au 133, avenue des Champs-Élysées, 75008, reste ouvert 24h/24.

Les magasins d'alimentation (boucherie, fromager ou marchand de légumes) ferment souvent entre 13h et 15h ou 16h, les dimanches après-midi et le lundi, mais les boulangeries, tabacs et pharmacies fonctionnent sans interruption. Enfin certains quartiers sont ouverts le dimanche comme le Marais ou celui de la butte Montmartre.

Galeries marchandes

Des galeries commerciales sont apparues depuis une vingtaine d'années : le Carrousel du Louvre (entrée au 99, rue de Rivoli, 75001, ouv. t. l. j.), le Forum des Halles (entrée rue Pierre-Lescot ou rue Berger, 75001, f. le dim.) ou la galerie des

Champs-Élysées (entre le rond-point et la rue de Berri) regroupent cafés, restaurants, boutiques de mode, de bijoux, de cadeaux, et des librairies. Agréables quand le temps n'est pas au beau fixe.

La capitale du shopping : une tradition ancienne

Des corporations se sont regroupées et fixées dans

BERCY VILLAGE

Ancien rendez-vous des libertins pendant la Régence, reconvertis en entrepôts vinicoles au cours du XIXᵉ s., les chais de Bercy sont désormais devenus un espace entièrement dévolu aux loisirs. Le shopping s'y conjugue avec plaisir et détente grâce à l'installation d'une trentaine de boutiques originales et d'une dizaine de bars et restaurants. Création, décoration, dégustation y sont à l'honneur. Des enseignes comme Loisirs et Créations, Fnac junior, Agnès b., Oliviers & co, Résonances, Sephora Blanc… et pour la pause déjeuner, des poissons en provenance directe de Bretagne à déguster chez Le Guilvinec. À noter, le village est ouvert tous les dimanches et propose même des activités ludiques pour les enfants.

certains quartiers, leur imprimant un caractère particulier qui subsiste encore aujourd'hui : cristalleries et porcelainiers, rue de Paradis, libraires et éditeurs autour de Saint-Germain-des-Prés et de l'Odéon, fabricants de meubles et quincailliers d'ameublement rue du Faubourg-Saint-Antoine, facteurs d'instruments et partitions musicales, rue de Rome derrière la gare Saint-Lazare… les antiquaires dans le Carré Rive gauche, les créateurs sur la butte Montmartre, dans le Marais et autour du Viaduc des arts, les grands joailliers, rue de la Paix et place Vendôme , les marchands de tissu au marché Saint-Pierre au pied du Sacré-Cœur, et la micro-informatique dans l'avenue Daumesnil.

Prix et règlement des achats

Les prix doivent toujours être affichés et ne se discutent pas dans les boutiques de détail. En revanche, le marchandage est d'usage aux puces,

chez un brocanteur ou un antiquaire bien disposé. À défaut d'espèces, vous pourrez régler vos achats avec la carte bleue Visa qui est acceptée presque partout. Un petit panneau sur la devanture des magasins vous indiquera si l'American Express, la Diner's Club ou l'Eurocard sont

également acceptées. Les chèques émis sur une banque française seront partout acceptés si vous avez une carte d'identité ou un permis de conduire. Au-delà d'environ 80 €, il n'est pas rare que le commerçant s'assure du crédit de votre compte auprès de son organisme de contrôle : n'en prenez pas ombrage.

Livraison et expédition

Sachez que les grands magasins s'occupent de la livraison de vos achats si le montant dépasse environ 150 € et que vous habitez en Île-de-France. Pour la province ou l'étranger, un supplément sera appliqué. Sinon, vous pouvez faire appel à la Sernam (☎ 01 40 25 35 00), qui se chargera de votre livraison.

LA DOUANE

Si vous emportez avec vous, dans un des pays membres de l'Union européenne, une antiquité qui n'est pas considérée comme bien culturel (auquel cas il vous faudrait une autorisation des musées de France pour la sortir de l'Hexagone), il faut l'acheter toutes taxes comprises et conserver la facture. Vous n'aurez rien à déclarer. Si vous habitez hors UE, achetez hors taxes, le commerçant vous remettra un bordereau de vente à l'exportation que vous ferez viser à la douane en sortant de France, et vous renverrez l'un des feuillets, après votre arrivée, au commerçant qui récupèrera la taxe.

Infos douanes service : ☎ 0820 02 44 44.

Le luxe à Paris

Des maisons prestigieuses plus que centenaires
et mondialement célèbres. Des maisons dont
le savoir-faire et l'excellence se transmettent
de génération en génération pour créer des
sacs, des montres, des bijoux, des robes haute
couture et des parfums évanescents. Rien n'est
trop beau ni trop cher, c'est l'air de Paris.

Christian Lacroix

73, rue du Faubourg-Saint-
Honoré, 75008 (B2)
M° Miromesnil
☎ 01 42 68 79 04
www.christian-lacroix.fr
Lun.-sam. 10h30-19h.

En 1987, Christian Lacroix
présentait sa première
collection de couture sous son
nom avec déjà des thèmes
du « Sud » et de la nature,
la Camargue et Arles son pays.
Il conçoit ses robes comme des
créations impressionnistes qui
magnifient la liberté. Est-ce ce
cocktail de soleil et de fantaisie
qui font de Christian Lacroix
l'un des plus grands créateurs
de mode ? On est ici dans le
domaine du rêve.

Paule Ka

45, rue François-Ier, 75008
(B2)
M° George-V
☎ 01 47 20 76 10
www.pauleka.com et une
nouvelle boutique à partir
d'octobre au 223, rue Saint-
Honoré, 75001 (C2),
M° Tuileries
☎ 01 40 29 03 06
Lun.-sam. 9h30-19h.

Serge Cajfinger, admirateur
de Jackie Kennedy, Audrey
Hepburn et Grace Kelly, crée
un style très élégant pour une
femme citadine à l'allure
pétillante et moderne. Un luxe
discret, chic et simple toujours
avec de belles matières. Une
petite robe bustier en satin de
soie blanc cassé et noir est à

890 € et le sac gondolier en
platine et python à 485 €…

Pierre Hermé

72, rue Bonaparte, 75006
(C3)
M° Saint-Germain-des-Prés
☎ 01 43 54 47 77
www.pierreherme.com
Mar.-dim. 10h-19h (sam.
19h30).

La gastronomie est aussi un
luxe et, chez Pierre Hermé,
ce sont à chaque saison de
nouvelles idées gourmandes,
de nouvelles saveurs associées
qui vous font voyager dans

l'univers du goût. Pâtisseries, desserts, macarons, chocolat, glaces, vous n'aurez pas assez d'une vie pour tout goûter.

Goyard

233, rue Saint-Honoré, 75001 (C2)
M° Concorde ou Tuileries
☎ 01 42 60 57 04
www.goyard.com
Lun.-sam. 10h-19h ; f. j. f.

Malletier depuis 1853, la Maison Goyard n'a cessé d'améliorer et faciliter le voyage en concevant des bagages solides, pratiques, esthétiques, toujours plus légers au fil du temps, et qui pouvaient, pour certains, s'imbriquer parfaitement dans les carrosseries des Bugatti, des Voisin, des Delage… Aujourd'hui, Goyard perpétue ce savoir-faire de la fameuse toile enduite à la gomme arabique ainsi que des commandes spéciales. À l'intérieur, des pièces anciennes ayant appartenues à la duchesse de Windsor et à Conan Doyle.

Cadolle

4, rue Cambon (prêt-à-porter) et 255 rue Saint-Honoré (lingerie sur mesure), 75001 (C2)
M° Concorde
☎ 01 42 60 94 94
www.cadolle.com
Lun.-ven. 10h-18h30 (sam. 11h) ; f. en août.

En 1889, quand Paris donne le ton de la mode, Herminie

Cadolle coupe en deux le corset féminin et invente ainsi le premier soutien-gorge, le « corselet gorge ». Depuis, la lingerie sur mesure de la Maison Cadolle se fait haute couture. Les stars d'aujourd'hui ont succédé à Mata Hari, mais on peut se faire plaisir avec des pièces en prêt-à-porter toujours très tendance.

Arthus-Bertrand

6, pl. Saint-Germain-des-Prés, 75006 (C3)
M° Saint-Germain-des-Prés
☎ 01 49 54 72 00
www.arthus-bertrand.fr
Lun.-sam. 10h-19h.

En 1803, avec l'institution de la Légion d'honneur, le Consulat et l'armée réclament des décorations, et c'est la Maison Arthus-Bertrand qui va les leur fournir. Depuis, la maison s'est diversifiée, gravant, frappant toujours des médailles prestigieuses, mais créant aussi des bijoux originaux et une collection de montres.

Montblanc

60, rue du Faubourg-Saint-Honoré, 75008 (B2)
M° Concorde
☎ 01 44 20 07 70
www.montblanc.com
Lun.-ven. 10h30-19h30, sam. 11h-19h30.

Montblanc a fêté ses cent ans en 2006. Quel parcours depuis 1906 ! La marque s'est beaucoup diversifiée, ajoutant aux instruments de l'écriture, qui font toujours sa renommée, une collection de montres, de bijoux féminins et masculins, de la petite maroquinerie et de la bagagerie. À titre indicatif, le stylo plume « meisterstuck », noir avec son étoile blanche et ses trois anneaux dorés, est à 495 €, mais il y a aussi de jolis bijoux en argent massif à 95 €.

PARFUMS DE PARIS…

Chez **Caron** (34, av. Montaigne, 75008, B2, M° Franklin-D.-Roosevelt, ☎ 01 47 23 40 82) et dans la boutique **Chanel** (29, rue Cambon, 75001, C2, M° Concorde, ☎ 01 42 86 28 00) vous trouverez tous les anciens parfums, ceux que l'on ne trouve nulle part ailleurs. Mais n'oubliez pas : **Guerlain** (68, av des Champs-Élysées, 75008, B2, M° Franklin-D.-Roosevelt, ☎ 01 45 62 52 57), **Courrèges**, (40, rue François-Ier, 75008, B2, M° George-V, ☎ 01 47 23 86 46).

La Parisienne
de pied en cap

Dessus, dessous et de la tête aux pieds, quelques adresses de boutiques. Des talons un peu hauts, des sandales toutes plates ; du stretch qui moule les jambes, du lin qui flotte au vent, des chapeaux rigolos, des bustiers de satin ; des manteaux à la cheville, des sacs où tout fourrer. Le jour, le soir, la ville, la campagne, le bureau, les vacances… la mode pour tous les goûts à (presque) tous les prix.

Isabel Marant

1, rue Jacob, 75006 (C3)
M° Odéon
☎ 01 43 26 04 12
Lun.-sam. 10h30-19h30.

Dans un décor des plus simples, vous trouverez le pull

près du corps ou la petite jupe en soie de style indien de vos rêves. Les savants mélanges de créations feront craquer les victimes de la mode…

Lolita Lempicka

46, av. Victor-Hugo, 75016 (A2)
M° Victor-Hugo
☎ 01 45 02 14 46
Lun.-sam. 11h-19h ;
f. en août.

Un sens du théâtral, des bustiers, des crinolines pour les robes du soir. Des tailleurs et des robes près du corps dans une ambiance parme ; de la dentelle, des jeux de transparence. La quintessence de la féminité. Robes du soir à partir de 650 €.

Paul & Joe

46, rue Étienne-Marcel, 75002 (C/D2)
M° Étienne-Marcel
☎ 01 40 28 06 14
www.paulandjoe.com
Lun.-sam. 10h30-19h30 ;
f. 1 sem. en août.

Un tailleur en coton laqué, une robe fourreau en jacquard de soie fleurie, un nœud de satin sous la poitrine, des combi-pantalon dos nu, une lingerie toute en dentelle et en soie, voici le style frais et haut en couleur de Sophie Albou, la créatrice, et dont les deux enfants s'appellent Paul et Joe ! Des matières très féminines comme ses boutiques boudoirs décorées d'objets chinés.

Sonia Rykiel

175, bd Saint-Germain, 75006 (C3)
M° Saint-Germain-des-Prés
☎ 01 49 54 60 60
www.soniarykiel.com
Lun.-sam. 10h30-19h.

En 1968, Sonia Rykiel ouvre sa première boutique à Saint-Germain-des-Prés où elle invente la « démode », une mode bien à elle, haute en couleur, avec un grand faible pour la maille avec des coutures à l'envers et des superpositions. Depuis elle étend ses créations à l'enfant, l'homme, l'accessoire et le parfum. Il vous suffit de faire le tour du pâté de maisons par la rue des Saints-Pères pour vous en rendre compte, ce ne sont que des boutiques Sonia Rykiel !

Sabia Rosa

71-73, rue des Saints-Pères, 75006 (C3)
M° Saint-Germain-des-Prés
☎ 01 45 48 88 37
Lun.-sam. 10h-19h.

Ici, on s'offre une nuisette comme on s'offrirait un bijou. On y trouve le fin du fin de la lingerie haut de gamme et sur mesure. On peut faire sa composition, à vous de choisir parmi les trente coloris de soie et d'assortir avec de jolies dentelles.

Kiliwatch

64, rue Tiquetonne, 75002 (D2)
M° Étienne-Marcel
☎ 01 42 21 17 37
Lun. 14h-19h, mar.-sam. 11h-19h30.

Une adresse fluo où trouver des fripes du monde entier. Des robes de princesse et des robes de danseuse ; des robes à paillettes et des robes de strass ; de la dentelle, du doré, du kitsch. En collection, les jeans, les pantalons à carreaux, les imprimés New Age.

Kamille

53, rue d'Orsel, 75018 (C1)
M° Abbesses
☎ 01 53 28 15 07
Mar.-sam. 11h-20h, dim. 14h-20h.

Voilà une adresse qui circule de bouche à oreille car le vêtement féminin vu par Kamille est un vrai bonheur. Elle crée des pièces uniques dans de belles matières comme le lin tissé avec des fils de métal, la soie, le coton, des

formes originales de robes dont le style flirte avec celui du Japon. Les teintures sont artisanales, d'où des coloris variés et incomparables. Rien de moulant, que du fluide, et elle habille jusqu'au 44. Elle a regroupé autour d'elle onze autres créateurs

Marithé + François Girbaud

7, rue du Cherche-Midi, 75006 (C3)
M° Sèvres-Babylone
☎ 01 53 63 53 63
38, rue Étienne-Marcel, 75002 (C2)
M° Étienne-Marcel
☎ 01 53 40 74 20
Lun. 11h30-19h30, mar.-sam. 10h30-19h30.

Ils ont rêvé « l'Amérique » et ont inventé en 1967 le jean délavé qui aura un succès fou. Depuis, leurs jeans concurrencent des marques comme C.K. Jeans et DKNY Jeans. Aujourd'hui, ils se diversifient en créant une mode urbaine en

ESPACE CRÉATEUR DU FORUM DES HALLES

Depuis dix ans, l'Espace Créateur du Forum des Halles rassemble dans huit boutiques collectives une soixantaine de créateurs de mode. C'est un véritable « laboratoire » destiné à lancer des jeunes talents comme Isabel Marant, Gilles Rosier, Éric Bergère, Xuly Bët et Ralph Kemp.

Forum des Halles, 75001 (D3), M° Les Halles, porte Berger, niveau 1, www.forum-des-halles.com
Lun.-sam. 10h-19h30.

couleur et fonctionnelle avec des accessoires, lunettes et chaussures.
Comptez entre 180 et 350 €.

Maje

16, rue Montmartre, 75001 (C2)
M° Les Halles
☎ 01 42 36 36 75
Lun.-sam. 10h30-19h30 ;
f. 3 sem. en août.

Une petite boutique tendance qui monte ! On y trouve une multitude de petites pièces dans un style « mode de la rue », qui peuvent être assorties et multiplier ainsi votre panoplie de vêtements. Des tops, des gilets, des jupes, toute une mode à mixer pour se créer son propre style. Des prix qui varient entre 59 et 255 € pour la collection d'été.

Chantal Thomass

211, rue Saint-Honoré, 75001 (C2)
M° Tuileries ou Pyramides
☎ 01 42 60 40 56
www.chantalthomass.fr
Lun.-sam. 11h-19h ;
f. 15 jours en août.

Christian Ghion a conçu ce boudoir contemporain mariant les roses poudrés et le mauve parme et capitonné pour abriter l'univers de Chantal Thomass. Un univers séduisant, envoûtant, ravissant, époustouflant comme sa lingerie, ses

corsets, ses bas, ses collants, ses maillots de bain et ses accessoires glamour telles des mitaines en dentelle. Comptez 95 € environ pour un soutien-gorge pigeonnant.

Spree

16, rue La Vieuville, 75018 (C1)
M° Abbesses
☎ 01 42 23 41 40
Lun. 14h-19h, mar.-sam. 11h-19h30, ouvert parfois le dim. apr.-m.

Pour les femmes de 20 à 50 ans qui aiment la mode, Spree est la boutique au fait des dernières tendances sur la butte Montmartre. Une ambiance « entrepôt », sur des meubles chinés des années 1970, des petits escarpins Capucci, des chapeaux Misaharada, des bijoux Pièce à conviction. Sur les portants, des vêtements de créateurs comme Acne jeans, Christian Wijnants ou Preen.

Ralph Kemp

81, rue de Seine, 75006 (C3)
M° Odéon ou Mabillon
☎ 01 40 46 03 22
Mar.-dim. 11h-14h et 15h-20h ; f. 1 sem. en août.
Fantaisie, séduction, association de couleurs, d'imprimés, le folklore et le « casual chic » se mêlent, ainsi peut-on voir les créations de Ralph Kemp. Il aborde la

mode d'une façon intimiste. Il rapporte de ses expéditions des étoffes rares, des tissus précieux avec lesquels il confectionne à Paris des pièces uniques que ses clientes s'arrachent. Il habille Zazie, Marion Cotillard, Chiara Mastroianni. Il renoue avec l'artisanat et élabore des chaussures, des sacs et des bijoux en série limitée.

Zadig & Voltaire

42, rue des Francs-Bourgeois, 75003 (D3)
M° Saint-Paul
☎ 01 44 54 00 60
Mar.-sam. 10h30-19h30, dim.-lun. 13h30-19h30.

Voici une marque de créateurs qui relève du « luxe accessible »… du lin, du cashmere, de la laine et du coton, le tout dans des couleurs éclatantes avec toujours le détail qui tue ! Bref, une mode décontractée bien agréable à porter tous les jours comme le petit tee-shirt tunisien en coton avec une impression pailletée dans le dos à partir de 75 €.

Annick Goutal

3, rue de Castiglione, 75001 (C2)
M° Concorde
☎ 01 42 60 52 82
Lun.-sam. 10h-19h.
Depuis son premier parfum *Folavril*, mêlant boronia et jasmin sur fond de mangue,

Annick Goutal composa
21 fragrances pour les femmes,
pour les hommes mais
aussi pour les enfants. Des
fragrances qui se déclinent
en parfums d'ambiance,
en bougies parfumées, en
produits de bain et de beauté.
Vous croiserez peut-être dans
le magasin Isabelle Adjani,
Catherine Deneuve, Valérie
Lemercier ou pourquoi pas
Kim Bassinger…

Nez à nez

40, rue Quincampoix, 75004
(D3)
M° Rambuteau
☎ 01 42 71 11 76
Mar.-sam. 11h30-18h30.
F. 15 jours en août.

Christa Patou vous démontre
que vous pouvez vous fier
à votre nez. Avec elle vous
laisserez parler vos émotions
pour sélectionner, parmi les
57 fragrances proposées, celles
qui correspondent le mieux à
votre personnalité. Au final,
5 ou 6 senteurs se détachent
et Christa vous explique leurs
significations. Une petite
aventure olfactive empreinte
de psychologie pour celles qui
veulent un parfum unique.

Nathalie Garçon

15/17, galerie Vivienne,
75002 (C2)
M° Palais-Royal
☎ 01 40 20 14 00
Lun.-sam. 10h30-19h.
Nathalie Garçon, c'est un
style très féminin et coloré qui
aime marier les différentes
matières. Elle s'inscrit dans
la tendance bohème chic et
ses robes (à partir de 260 €),
ses grands jupons, ses petites
vestes cintrées à basques font
sa renommée. Quant aux
accessoires, elle travaille avec
de nombreux petits créateurs
qui font des petits paniers en
osier, des étoles, des bijoux et

des chapeaux. La gamme est
très large et les premiers prix
sont à 15 €.

Frédéric Malle

21, rue du Mont-Thabor,
75008 (C2)
M° Concorde
☎ 01 42 22 72 36
www.editionsdeparfums.
com
Lun. 13h-19h, mar.-sam.
11h-13h30 et 14h30-19h.

Frédéric Malle est le seul à
vous proposer 14 parfums
élaborés par les plus grands
nez et vendus sous le nom de

leurs auteurs. Ils ont créé leur
parfum idéal en toute liberté et
sans souci de prix de revient
Dans la boutique, un expert
vous guide vers les fragrances
qui correspondent le mieux à
vos goûts et votre style. Après,
à vous de choisir, parfums,
produit pour le corps, huile à
tout faire, savons…

Lune Paris

30, rue Durantin, 75018 (C1)
M° Abbesses
☎ 01 42 54 62 69
ou 06 80 24 28 05
www.luneparis.com
Mar.-dim. 11h30-20h30 ;
f. 2 sem. mi-août.

Céline Jendly fait du « prêt-à-
rêver ». Dans sa boutique-atelier,
qui est un petit laboratoire de
mode, elle crée et retravaille
des vêtements vintage en les
« custumisant ». Les cravates

sont un domaine de recherche
inépuisable, les transformant
en ceintures, en bustiers,
broches, sacs, petits bibis,
étoles, manchettes et même
en mitaines ! Il y a toujours de
la gaieté, de l'humour et du
glamour dans ce qu'elle fait.

Fifi Chachnil

231, rue Saint-Honoré,
75001 (C2)
M° Concorde
☎ 01 42 61 21 83
Lun.-sam. 11h-19h.
Sous les voûtes de l'ancienne
chapelle du couvent des
Feuillants, des rideaux dans
des camaïeux de roses, une
moquette rouge vif, des meubles
de princesse et un paravent
ancien pour la discrétion des
essayages. Il faut bien cela
pour cette délicieuse lingerie
rétro et romantique. On craque
pour tout et pour la boîte « Ma
semaine culottes » à 210 € !

Indispensables
accessoires

Ils sont les détails essentiels qui font tout le chic de la tenue. Chapeaux extravagants, colliers, bagues de bijoutier, ceinture de cuir, chaussures sur mesure dans vos coloris, sac que vous ne retrouverez nulle part ailleurs, voici des adresses d'artisans, de créateurs et de petites boutiques bien sympathiques.

Babylone

22, rue du Vieux-Colombier, 75006 (C3)
M° Saint-Sulpice
☎ 01 42 84 09 41
Lun.-sam. 11h15-19h30.
Et 11, rue des Francs-Bourgeois, 75004 (D3)
M° Saint-Paul
☎ 01 44 54 03 84
Lun.-dim. 12h-19h30 ;
f. 2 sem. en août.
www.babyloneparis.com

Babylone est une marque bien parisienne. Tous les bijoux que crée Christine Laaban sont fabriqués à la main depuis maintenant vingt ans à Paris. C'est un style très féminin, chic et décontracté qui associe différentes matières allant des pierres naturelles au cristal en passant par la pâte de verre. Les chaînes sont en métal argenté, noirci ou bronze.

Losco

5, rue de Sèvres, 75006 (B4/C3)
M° Sèvres-Babylone
☎ 01 42 22 77 47
Lun. et mer. 14h-19h, mar., jeu.-ven. 11h-13h et 14h-19h, sam. 11h-19h ;
f. en août.

Imaginez un artisan vous proposant d'exécuter une ceinture sur mesure, dans la journée, voire tout de suite. Un large choix de boucles en métal argenté ou doré, de coloris et de longueurs, vous est proposé pour des prix allant de 50 à plus de 100 €.

Upla

5, rue St-Benoît, 75006 (C3)
M° Saint-Germain-des-Prés
☎ 01 40 15 10 75
www.uplaworld.com
Lun.-sam. 10h30-19h ;
f. 3 sem. en août.

La besace en toile plastifiée avec ses poches pratiques a fait le tour du monde et sa réédition est aujourd'hui disponible en 13 coloris (autour de 100 et 150 € pour le grand modèle). Upla bouge, des nouveaux cuirs, des nouvelles matières, des nouvelles lignes et toujours des couleurs éclatantes.

Marie Mercié

23, rue St-Sulpice, 75006 (C3)
M° Odéon
☎ 01 43 26 45 83
Lun.-sam. 11h-19h.

Elle peut vous mettre un oiseau sur la tête ou vous faire porter le tricorne. Velours ou paille, elle en fait ce qu'elle veut avec humour et poésie. Comptez environ 210 € pour le modèle « Cible », ce tout nouveau chapeau en sisal tricolore.

Delage

15, rue de Valois, 75001 (C2)
M° Palais-Royal
☎ 01 40 15 97 24
Lun.-sam. 10h30-18h30,
f. lun. et sam. entre 13h et 14h ; f. 3 sem. en août.

Véronique Leremboure fait de la chaussure haute couture et a même fourni Chanel et Dior. Elle travaille des peaux exotiques, de l'iguane, du croco, du galuchat, de l'autruche, du python ou du chevreau velours. Comptez au minimum 300 €.

Tradition renouée

8, rue de l'Odéon, 75006 (C3)
M° Odéon
☎ 01 40 51 08 67
Lun. 14h-19h, mar.-sam. 11h30-13h30 et 14h-19h.

Des lampes, des lustres, des coussins autour de 80 €. Des sacs, des ceintures et mille petits accessoires de mode ou de déco, tous habillés de passementerie, à choisir parmi cent couleurs. Dans un esprit « couture » sans les prix « couture ».

Bélize

2, gal. Vivienne, 75002 (C2)
M° Palais-Royal
☎ 01 40 15 07 97
Lun. et sam. 12h-19h, mar.-ven. 10h30-14h et 14h30-19h ; f. en août.

Une minuscule boutique où vous trouverez des lunettes de soleil vintage Cutler & Gross des années 1970 mais aussi toute une sélection de sacs et de bijoux de créateurs. Les bijoux de la marque Chamane, toujours très épurés, et ceux de la marque Fushia, toujours porteurs de messages, ont le vent en poupe.

Alexia Hollinger

3, rue Thérèse, 75001 (C2)
M° Pyramides
☎ 01 42 60 99 11
www.alexiahollinger.com
Mar.-ven. 12h-19h, sam. 14h-19h ; f. 15 jours en août.

Alexia fabrique dans son atelier au fond de la boutique des sacs très féminins et ludiques à la fois. Elle n'utilise que du textile ou des toiles enduites pour qu'ils puissent se nettoyer facilement. Ses tissus, choisis au coup de cœur, sont des Toiles du Soleil, des tissus Liberty, des jolis foulards pour des pièces uniques. De 45 à 100 € !

Wolff et Descourtis

18, gal. Vivienne, 75002 (C2)
☎ 01 42 61 80 84
M° Palais-Royal
Lun.-ven. 11h-19h,
sam. 14h-19h.
Cette entreprise familiale, fondée en 1875, réalise des châles, des étoles et des foulards imprimés sur mousseline de laine et de soie, sur satin de soie, sur laine et cashmere ou bien des velours tissés peints à la main. Vous trouverez aussi des parapluies et des parfums anglais...

THIERRY LEFÈVRE-GRAVE

On le voit travailler le métal ou polir les pierres dures, semi-précieuses et précieuses qui ornent ses bijoux. Un cabochon de tourmaline fera resplendir ses tons rouge rosé sur la transparence d'un quartz. Ce sont des bagues, des pendentifs, des broches dans un style très contemporain et puissant. Les prix s'échelonnent entre 150 et 800 €.

24, rue Durantin, 75018 (C1), M° Abbesses,
☎ 01 42 23 65 60, http://lefevre-grave.chez-alice.fr
Mar.-sam. 11h-13h et 15h-19h ou sur rendez-vous.

Mode homme

Classique ou excentrique, businessman ou écolo, gentleman ou cyber-pro, en un week-end vous pourrez vous rhabiller de pied en cap. Les chapeaux les plus fous, les cravates les plus sages, les chaussures cousues main, les gilets rebrodés, les chemises à carreaux, les vestes déstructurées et pour finir un bon cigare !

Bain Plus

51, rue des Francs-Bourgeois, 75004 (D3)
M° Saint-Paul
☎ 01 48 87 83 07
Mar.-sam. 11h-19h30,
dim.-lun. 14h-19h.

Des liquettes à chevrons, si douces qu'on a envie de s'y glisser la nuit pour dormir ; du pilou l'hiver, de la popeline seersucker l'été ; une collection de pyjamas, caleçons, peignoirs. Tout est fait maison. À partir de 23 € le caleçon et de 100 € le pyjama. Mules et trousses de toilette assorties.

Anatomica

14, rue du Bourg-Tibourg, 75004 (D3)
M° Saint-Paul
☎ 01 42 74 10 20
Lun.-sam. 11h-19h,
dim. 15h-19h.

« Des souliers en forme de pieds », et de vraies chaussures stylées. Le plus grand choix en France de Birkenstock (de 35 à 150 €), boots australiens Blundstone, chaussures Trippen. À combiner avec des pantalons de guardian, le pantalon Largeot des compagnons charpentiers ou des vestes de l'armée française de la fin du XIXe s. réactualisées (210 à 250 €).

Le Printemps de l'Homme

61, rue Caumartin, 75009 (C2)
M° Havre-Caumartin
☎ 01 42 82 50 00
Lun.-sam. 9h35-19h
(jeu. 22h).

Le célèbre dandy anglais a donné son nom, Brummell, à la collection du Printemps de l'Homme. Entièrement consacré à la mode masculine, il propose toutes les grandes marques, classiques, sportswears ou plus pointues, des sous-vêtements (au sous-sol) aux costumes (4e étage).

La Civette

157, rue Saint-Honoré, 75001 (B2/C2)
M° Palais-Royal
☎ 01 42 96 04 99
Lun.-sam. 10h-19h.

L'adresse mythique des fumeurs parisiens propose du tabac, des pipes (certaines fort belles) et tous les accessoires qui vont avec. Cette boutique est aussi réputée pour ses cigares en provenance de Cuba, de Saint-Domingue ou du Honduras… De 3 € à 30 € l'unité. Le premier prix pour une boîte de 25 cigares est de 55 €.

Maître Parfumeur et Gantier

84 bis, rue de Grenelle, 75007 (C3)
M° Rue-du-Bac
☎ 01 45 44 61 57
Lun. sam. 10h30 18h30.

Depuis 1989, le maître travaille dans le même esprit de faste et de séduction qu'au XVIIe s. Il propose une belle ligne griffée de gants de jour ou du soir mais aussi, pour vous messieurs, trois gammes d'eau de toilette séduisantes par leur caractère et leur raffinement (75 € les 100 ml).

Paraboot

9, rue de Grenelle, 75007 (C3)
M° Sèvres-Babylone
☎ 01 45 49 24 26
Lun. 14h-19h, mar.-sam. 10h-19h.

En 1919 lors d'un voyage aux États-Unis, Rémy Richard-Pontvert remarque les « boots » et fait le lien avec le latex qui transitait alors par le port de Para en Amazonie. La Paraboot est née ! Le Michael, le modèle phare, est toujours au top des ventes (comptez 235 €). En parallèle s'est développée une gamme ville de chaussures plus habillées autour de 300 €.

Boutique du Paris-Saint-Germain

27, av. des Champs-Élysées, 75008 (A2/B2)
M° Franklin-D.-Roosevelt
☎ 01 56 69 22 22
Lun.-jeu. 10h-21h45, ven.-sam. 10h-23h45, dim. 12h-22h.

Sur deux étages, vous trouverez tout ce qui touche au football. En bref, du maillot au stylo (possibilité de le faire graver à son nom), en passant par les places pour les matchs au parc des Princes ou au Grand Stade de France.

Coup de charme

26, rue des Canettes, 75006 (C3)
M° Saint-Sulpice
☎ 01 43 26 61 97
Lun.-sam. 10h30-19h15.

La boutique des dandys par excellence. Des redingotes en velours ou en soie, des boutons de manchettes, voilà de quoi se retrouver au XIXe s., mais des couleurs vives en prime. Les pièces maîtresses des costumes sont certainement les cravates signées Duchamp et les gilets en soie entre 220 et 335 €.

John Lobb

226, bd Saint-Germain, 75007 (C3)
M° Rue-du-Bac
☎ 01 45 44 95 77
ou 21, rue Boissy-d'Anglas, 75008 (B2)
M° Concorde
☎ 01 42 65 24 45
www.johnlobb.com
Lun.-sam. 10h30-19h.

La maison John Lobb fut créée en 1902 et fait partie du groupe Hermès depuis 1976. Les chaussures double boucles ainsi que les modèles de la collection Prestige (Richelieu, Derby) sont les plus courus. Comptez 3 300 € pour une paire sur mesure et 750 € en moyenne pour le prêt-à-porter.

MANUFACTURE DE BEAUX VÊTEMENTS

Une boutique au look rétro pour des copies de costards de stars ! Vous avez envie du costume de Carry Grant dans *La Mort aux trousses*, du smoking de James Bond dans *Bon baisers de Russie* ? Aucun problème, ces modèles sont réédités avec seulement quelques petits ajustements. Le choix est vaste, il faut demander en fonction de votre film et de votre star préférée.

21, rue des Halles, 75001 (D3), M° Châtelet
☎ 01 42 21 02 22
www.manufacturedebeauxvetements.com
Lun.-sam. 11h-19h30 ; f. en août.

Les enfants,
mode et jouets

On peut jouer les princesses et préférer les robes à smocks et les culottes anglaises. On peut donner dans le blouson, le tee-shirt, le sweat et le jean stretché : à Paris, les boutiques pour enfants font le bonheur de tous. Qu'ils aient le style « Triplés » ou le look roller skate, vous aurez, ici, le choix pour les habiller et plein d'idées de cadeaux.

Petit Pan

39, rue François-Miron, 75004 (D3)
M° Saint-Paul
☎ 01 42 74 57 16
www.petitpan.com
T. l. j. 10h30-14h et 15h-19h30.

Les vêtements Petit Pan habillent les enfants de la naissance jusqu'à 8 ans. Ils s'inspirent directement des arts populaires chinois du Shandong. Des couleurs éclatantes, des motifs floraux pour des robes, des pantalons et des chemisettes dont les prix s'échelonnent de 5 à 50 €. Dans les vitrines, des jouets et, accrochés au plafond, des cerfs-volants poissons et dragons.

Purée Jambon

25, rue Durantin, 75018 (C1)
M° Abbesses
☎ 01 75 50 79 90
www.puree-jambon.fr
Mar.-sam. 11h-19h, dim. 14h-19h ; f. 3 sem. en août.

Dans cette boutique, la sélection de créateurs en vêtements, en accessoires et en jouets est 100 % *french touch*. Des séries limitées, des pièces uniques, du vintage. Une gamme de prix qui tourne autour de 40 €. Des soirées Purée Jambon sont aussi organisées, avec un dîner purée et jambon bien sûr, et des spectacles de marionnettes, des conteurs…

Bébés en vadrouille

47, bd Henri-IV, 75004 (E3)
M° Bastille
☎ 01 48 87 19 68
www.bbenv.com
Mar.-ven. 11h-14h et 15h-19h, sam. 10h-13h et 14h-19h ; f. 1 sem. en août.

C'est la première boutique « ethnique-éthique » pour les petits. Vous aurez ici l'assurance de trouver des produits écologiques de fabrication artisanale venant des quatre coins du monde et

issus du commerce équitable.
Ce sont des jouets, des écharpes
porte-bébé guatémaltèques
(72 € environ), des pulls en
coton tricoté main en Bosnie-
Herzégovine, des bodys en
coton bio d'Inde, des couches
lavables autrichiennes…

Anna Joliet, boîtes à musique

9, rue de Beaujolais, 75001
(C2)
M° Palais-Royal
☎ 01 42 96 55 13
ou 01 49 27 98 60
www.boitesmusique
annajoliet.com
T. l. j. 10h-19h.

Cette minuscule boutique
regorge de boîtes à musique
qui jouent des airs populaires,
des airs d'opéra ou des grands
classiques. On vient ici des
quatre coins du monde pour
retrouver une ritournelle
de son enfance ou
simplement écouter
le charme et la poésie
d'une petite musique
mécanique. Les mélodies sont
innombrables, vous pouvez
vous faire plaisir dès 8 € !

Puzzle Michèle Wilson

97, av. Émile-Zola, 75015 (A4)
M° Charles-Michels
☎ 01 45 75 35 28
www.pmw.fr
Lun.-ven. 9h-19h,
sam. 10h-19h.

Faits entièrement à la main,
pas un seul morceau de ces
puzzles n'est identique et pour

corser l'affaire, la découpe
suit le motif. Il faut avoir l'œil
pour trouver l'infime détail qui
aidera à placer le morceau.
Les sujets ? Des œuvres d'art
des musées du monde entier.
Comptez 64 € pour un
250 pièces.

L'Ours du Marais

18, rue Pavée, 75004 (D3)
M° Saint-Paul
☎ 01 42 77 60 43
www.oursdumarais.com
Mar.-sam. 11h30-19h30,
dim. et j. f. 14h-19h30.

Un millier d'ours de tout poil
vous accueillent dans cette
boutique du Marais ! Monique
Verpeaux, depuis sept ans,
présente l'ours dans tous ses
états. Peluches, tee-shirts,

sacs à main… ils viennent
de tous les continents, ils
sont de collection, uniques
ou d'artiste. L'ours Bernard
si doux vous coûtera 27 € et
Maurice l'ours parisien avec
sa baguette et son béret, est un
must à 170 € !

Wowo

4, rue Hérold, 75001 (C2)
M° Les Halles
☎ 01 53 40 84 80
Mar.-sam. 11h-14h et 15h-
19h ; f. 3 sem. en août.
À deux pas de la place des
Victoires, on vient pour
voir les dernières tendances
de la mode enfantine.
Laetitia Casta, Karine Viard et
Vanessa Paradis y font leurs
emplettes. On craque pour
la collection ethnique et le
tee-shirt personnalisé dans
lequel l'enfant glisse sa photo,
à 36 €.

Chantelivre

13, rue de Sèvres, 75006
(C3)
M° Sèvres-Babylone
☎ 01 45 48 87 90
Lun. 13h-19h30,
mar.-sam. 10h30-19h30 ;
f. 2 sem. en août.

Pour donner le goût de la
lecture à vos enfants ! Livres
en tissus, jeux éducatifs,
albums, contes, BD mais
aussi romans d'aventure
et des romans policiers.

DO YOU SPEAK MARTIEN ?

Une minuscule boutique remplie jusqu'au plafond de
gadgets, de petits personnages en caoutchouc, de
livres, d'autocollants, de badges et de tee-shirts. C'est
aussi l'antre de Spike, le petit personnage qui fait fureur
dans les cours d'école et qui a été créé par les deux
propriétaires du magasin.

8, rue des Trois-Frères, 75018 (C1), M° Abbesses,
☎ 01 42 52 89 72, www.doyouspeakmartien.com
Lun.-sam. 11h-19h ; f. en août.

Beauté

On dit les Parisiens stressés… c'est peut-être pour cela que les hammams et centres de soins ont autant de succès. Ils rivalisent en luxe et en soins extraordinaires toujours associés à des techniques incroyables et des produits aux senteurs paradisiaques ou gourmandes comme le chocolat. Chacun ont leur ligne de produits et leur « carte », alors n'hésitez pas à appeler ou consulter les sites internet.

Le hammam de la mosquée de Paris

39, rue Geoffroy-Saint-Hilaire, 75005 (D4)
M° Censier-Daubenton
☎ 01 43 31 38 20
www.la-mosquee.com
Fe. : lun., mer.-jeu., sam.
10h-21h, ven. 14h-21h
Ho. : mar. 14h-21h,
dim. 10h-21h
Entrée simple 15 €,
forfaits à 38, 48 et 58 €.

Il est peut-être moins luxueux, mais il est sûrement le plus authentique et le plus ancien hammam de Paris. Passé le pas de la porte, le dépaysement est total, fontaine, boiseries, zéliges sous ces voûtes bleutées. On peut choisir des soins à la carte sachant que les 10 min de gommage ou de massage coûtent 10 €. N'oubliez pas vos affaires ou bien il vous faudra les louer sur place.

Le hammam Pacha

147, rue Gabriel-Péri à Saint-Denis (HP)
M° Saint-Denis-Basilique
☎ 01 48 29 19 66
www.hammampacha.com
Lun.-mer., ven. 12h-minuit
(jeu.10h), sam.-dim.
et j. f. 10h-20h
Forfait basique à 55 €
(entrée + savon noir + gant
+ gommage).

Voici un lieu magique exclusivement réservé aux femmes. Peignoirs, serviettes et savates aseptisées sont fournis par l'établissement. On commence par la chambre vapeur aux odeurs

d'eucalyptus, puis on fait une pose avec un thé à la menthe dans la salle de repos aux lumières tamisées. Dans la salle tiède sous les arcs outrepassés et allongé sur le marbre chaud on profite d'un gommage.

Les Cent Ciels

45 bis, av. Édouard-Vaillant à Boulogne-Billancourt (HP)
M° Porte-de-Saint-Cloud
☎ 01 46 20 07 01
www.hammam-lescentciels.com
Fe. : ven. 11h-22h, sam. 10h-21h, dim. 10h-20h, lun. 11h-17h
Ho. : t. l. j. 17h-22h
F. en août.
Entrée 40 € (hammam, sauna, piscine et thé à la menthe).

Le cadre est somptueux pour des soins autour du hammam qui suivent le rythme des saisons. Ciels d'automne et d'hiver avec des effluves antiseptiques d'eucalyptus, de pin, des massages aux huiles essentielles réconfortantes de cèdre, santal, bois de rose, cannelle, jasmin, ylang-ylang. Ciels de printemps et d'été dans une atmosphère fraîche et tonifiante où le hammam est transformé en brumisateur de rosée avec des senteurs d'agrumes.

India & Spa

76, rue Charlot, 75003 (D2)
M° République
☎ 01 42 77 82 10
www.india-spa.com
Lun.-sam. 11h-21h, dim. 11h-19h.

Du bois sculpté, un bouddha, une fontaine, des tissus traditionnels aux couleurs chatoyantes et au sous-sol un hammam turquoise. Ce centre propose 3 escapades en Asie (140 €, 2h) en Inde (195 €, 3h) et en Orient (120 €, 1h30) avec des bains, des gommages, des massages ayurvédiques aux huiles chaudes par exemple.

Les 5 Mondes

6, sq. Opéra-Louis-Jouvet, 75009 (C2)
M° Opéra
☎ 01 42 66 00 60
Lun., mer., ven.-sam. 11h-20h, mar. et jeu. 11h-22h.

Jean-Louis Poiroux a parcouru la planète pendant dix ans pour découvrir les meilleurs massages et soins du monde entier. Résultat : des soins de beauté de grande qualité issus de traditions ancestrales.

La Sultane de Saba

8 bis, rue Bachaumont, 75002 (D2)
M° Sentier ou Étienne-Marcel
☎ 01 40 41 90 95
www.lasultanedesaba.com
Lun.-ven. 10h30-19h30 (jeu. 22h).

Un petit hammam et des salles de massage éclairées à la bougie. Un moment de détente solitaire et calme. Il y a deux formules à 100 et 120 € avec des soins qui durent entre 1h30 et 2h. Sinon c'est à la carte et un hammam associé à un gommage vous coûteront 40 €.

Les bains du Marais

31-33, rue des Blancs-Manteaux, 75004 (D3)
☎ 01 44 61 02 02
www.lesbainsdumarais.com
Fe. : lun. 11h-20h, mar. 11h-23h, mer. 10h-19h
Ho. : jeu. 11h-23h, ven. 10h-20h
Mixte : mer. 19h-23h, sam. 10h-20h, dim. 11h-23h.

C'est un hammam très chic qui propose des journées découverte à 35 € (hammam et sauna), des journées beauté et soin du corps avec en plus des massages aux huiles essentielles (130 €). Pour prolonger le plaisir, offrez vous les huiles précieuses, qui laissent la peau et les cheveux aussi doux que la soie.

Patyka

14, rue Rambuteau, 75003 (D3)
M° Châtelet-Les Halles
☎ 01 40 29 49 49
www.patyka.com
Jeu.-lun. 12h-20h ;
f. 3 sem. en août.

C'est une merveilleuse marque française qui est la seule à développer des produits de beauté haut de gamme pour le corps, le visage ainsi que des parfums entièrement biologiques certifiés Écocert. Aucune molécule de synthèse, que des absolus de plantes et des huiles essentielles.

Les bonnes affaires

Voici quelques adresses où aller quand on n'a pas peur d'acheter les collections de la saison passée ou les modèles sortis en boutique quelques semaines auparavant.

Tati

4, bd Rochechouart, 75018 (D1)
M° Barbès-Rochechouart
☎ 01 55 29 50 00
www.tati.fr
Lun.-ven. 10h-19h,
sam. 9h15-19h.

Tout le monde sait où est Tati. On vient même des pays de l'Est pour y faire son shopping. Personne n'ose le reconnaître mais chacun y fait un saut en douce pour voir les nouveaux arrivages. « La Rue est à Nous », les vêtements branchés avec des pulls à partir de 12 € ; « L'Avenir est

à Nous », le rayon enfants avec des tee-shirts nid d'abeilles et des cotons piqués. Allez-y aussi pour l'ambiance du samedi matin : vous aurez l'impression d'être de l'autre côté de la Méditerranée sans sortir du Périphérique.

Les Deux Portes

30, bd Henri-IV, 75004 (D/E3)
M° Bastille
Mar.-sam. 10h-19h.

La sélection des tissus à petits prix, une gamme « Deux Portes » toujours suivie. On y trouve les collections des éditeurs à moins 20 % avec un minimum de 5 m. Soldes permanents des fins de série à partir de 8 € le mètre. Confection tous azimuts. De la soie d'ameublement à partir de 38 € le mètre en 140 cm.

Sabotine

35, rue de la Roquette, 75011 (E3)
M° Bastille
☎ 01 43 55 10 04
Mar.-sam. 10h30-19h.

Soldeur officiel des chaussures Carel, la boutique propose des modèles des saisons précédentes. Jusqu'à 50 % de réduction. Des prix s'échelonnant de 45 à 150 €.

Les Trois Marches de Catherine B

1, rue Guisarde, 75006 (C3)
M° Mabillon
☎ 01 43 54 74 18
www.catherine-b.com
Lun.-sam. 10h30-19h30.
Il faut monter trois marches pour aller dans ce petit magasin qui ne vend que les marques Hermès et Chanel. Ce sont des accessoires, des carrés Hermès neufs à 190 €, des sacs Kelly, des bracelets, des montres, des bijoux, des chaussures et des vêtements, bref des introuvables et des

collectors. Attention, rien ne reste très longtemps en boutique.

Le Mouton à Cinq Pattes

8, 18, rue Saint-Placide, 75006 (C4)
M° Sèvres-Babylone
☎ 01 45 48 86 26
Lun.-sam. 10h-19h
138, bd Saint-Germain, 75006 (C3)
M° Odéon
☎ 01 43 26 49 25
Lun.-ven. 10h-19h30 (sam. 20h) ; f. le lun. en août.

Le Mouton à Cinq Pattes est une institution. Ici, on trouve des vêtements des dernières collections de couturiers italiens, autrichiens, anglais et allemands vendus en dessous du 1/3 du prix ! Ce sont de belles marques comme J.-P. Gaultier, Alberta Ferretti, Moschino, Narciso Rodriguez ou les cuirs Pollini. Le n° 8 est entièrement

consacré à la femme, les n°s 18 et 138 ont des rayons hommes.

La Clef des Marques

122, 126, bd Raspail, 75006 (C4)
M° Vavin
☎ 01 45 49 31 00
Lun. 12h30-19h, mar.-sam. 10h30-19h.

Toute l'année La Clef des Marques brade des articles provenant des surproductions de grandes marque comme Marc Jacobs (veste à 79 €), les jeans Blue Cult (59 €), Melting Pot (49 €). Un rayon homme, un femme, un enfant et un rayon sport avec des baskets Adidas ou Nike (entre 29 et 59 € suivant les modèles) et les maillots de bain Pain de sucre ou Paul & Joe (29 €) par exemple.

Chercheminippes

102, 109, 110, 111, 124, rue du Cherche-Midi, 75006 (B4/C3)
M° Duroc
☎ 01 42 22 45 23
Lun.-sam. 11h-19h.

Un système pratique de dépôt-vente. Les vêtements qu'on y propose n'ont pas plus de un an et sont toujours de marque connue. Au 102 les femmes trouveront du Barbara Bui, du Lilith…, le 109 est réservé

à la décoration d'intérieur, le 110 aux vêtements pour enfants mais aussi aux jouets et à la puériculture, le 111 propose des modèles haute couture comme Prada, tandis que les hommes trouveront leur bonheur au 124.

L'Embellie

2, rue du Regard, 75006 (C4)
M° Sèvres-Babylone
☎ 01 45 48 29 82
Mar.-sam. 11h30-18h30 ;
f. en août.

Un dépôt-vente de vêtements chic, des ceintures, des chaussures magnifiques et des accessoires de luxe jusqu'à moins 50 % ! Beaucoup de choses font envie, il ne reste plus qu'à croiser les doigts pour qu'il y ait votre taille.

Les boutiques
gourmandes

Tout Paris y court. Épices, condiments, chocolats, thés du monde entier y sont sélectionnés avec le plus grand soin. Aux étalages, les fruits les plus rares, les saveurs d'outre-mer, les produits du terroir... On est sûr d'y trouver, tout au long de l'année, ce qui manquera ailleurs et, au mois de décembre, de quoi préparer un réveillon gourmand et des cadeaux douceur.

Androüet

134, rue Mouffetard, 75005 (D4)
M° Censier-Daubenton
☎ 01 45 87 85 05
www.androuet.com
Mar.-sam. 9h30-13h, 16h-19h30, dim. 9h30-14h ;
f. 3 sem. en août.

Cette boutique célébrissime propose jusqu'à 250 variétés de fromages selon les saisons. Du camembert au Lou Picadou – chèvre roulé dans le poivre. Pour un cadeau original, laissez-vous séduire par les appétissantes boîtes-cadeaux en bois : env. 38 € les sept fromages.

À la Mère de Famille

35, rue du Faubourg-Montmartre, 75009 (C2)
M° Le Peletier
☎ 01 47 70 83 69
Lun.-sam. 9h-20h, dim. 10h-13h.

Dans une atmosphère du début du XIXe s., aux boiseries d'ébène et au carrelage blanc et bleu, vous trouverez des confiseries traditionnelles des provinces de France (dragées, sablés, madeleines...). Une belle sélection d'alcools régionaux également.

Le Palais des Thés

64, rue Vieille-du-Temple, 75003 (D3)
M° Saint-Paul
☎ 01 48 87 80 60
T. l. j. 10h-20h.
61, rue du Cherche-Midi, 75006 (C3)
M° Sèvres-Babylone
☎ 01 42 22 03 98
Lun. 10h30-18h, mar.-sam. 10h-19h ; en août f. 14h-15h
www.palaisdesthes.com

Depuis 20 ans, François-Xavier Delmas sillonne la Chine, l'Inde, le Japon et le Sri Lanka pour sélectionner et importer directement ses thés. Il discute avec les producteurs pour obtenir des thés rares, de grands crus récoltés en petite quantité (à partir de 21 € les 100 g). Des coffrets découverte de 12 échantillons à 39 € et des accessoires.

La Boutique Maille à la Madeleine

6, pl. de la Madeleine, 75008 (B2)
M° Madeleine
☎ 01 40 15 06 00
Lun.-sam. 10h-19h.
Cette honorable maison fit ses débuts dès 1747, depuis elle ne cesse d'inventer des saveurs avec cette année les moutardes aux algues de Bretagne et échalotes, mangues et épices thaïes (3,40 € le pot de 100 g). Mais le produit phare reste la moutarde fraîche servie à la pompe à partir de 7,60 €.

Oliviers & Co

28, rue de Buci, 75006 (C3)
M° Mabillon
☎ 01 44 07 15 43
www.oliviers-co.com
Lun.-sam.10h30-20h45.
Pénétrez dans le temple de l'huile d'olive et découvrez l'étonnante diversité de saveurs et d'arômes mis à votre disposition. Toutes ces huiles n'attendent que d'être choisies ainsi que leurs nombreux produits dérivés.

Verlet

256, rue Saint-Honoré, 75001 (B2/C2)
M° Palais-Royal
☎ 01 42 60 67 39
Lun.-sam. 9h30-19h ;
salon de thé 9h30-18h.

Les mélanges maison se font au rythme des saisons, plus légers l'été, le printemps ; plus parfumés à l'automne. On déguste sur place le café fraîchement torréfié, parmi les vingt variétés de Verlet. Thés,

fruits secs, fruits confits et glaces. De 4 à 25 € les 100 g.

L'Herboristerie du Palais-Royal

11, rue des Petits-Champs, 75001 (C2)
M° Palais-Royal
☎ 01 42 97 54 68
Lun.-ven. 9h30-19h,
sam. 10h30-18h30.

Bois naturel et vannerie, un joli décor pour des centaines de plantes médicinales et aromatiques. Cosmétiques à base d'extraits de plantes et d'huiles essentielles pour les cheveux, le visage et le corps.

Legrand Filles et Fils

1, rue de la Banque, 75001 (C2)
M° Palais-Royal
☎ 01 42 60 07 12
www.caves-legrand.com
Lun. 11h-19h, mar.-ven.
10h-19h30, sam. 10h-19h
Dégus. payante et sur rés.

C'est l'une des plus anciennes caves à vins et épiceries fines de France. L'histoire commence en 1880. Aujourd'hui, ils sillonnent le vignoble français puis font déguster leurs découvertes. Une tradition toujours de mise les mardis soir !

La Marquisane

168, av. Victor-Hugo, 75016 (HP par A2)
M° Rue-de-la-Pompe
☎ 01 45 53 97 66
Lun. 14h-19h30, mar.-sam. 10h-19h30 ; f. en août.

Une bonbonnière 1900 où tout est merveilleusement appétissant et raffiné. Des thés, des odeurs de café torréfié et de chocolat, des caramels mous dans des papiers qui craquent, des bonbons, des berlingots multicolores rangés dans des pots de verre…

IL ÉTAIT TOUJOURS LE CHOCOLAT

Debauve et Gallais (30, rue des Saints-Pères, 75006, C3, M° Rue-du-Bac, ☎ 01 45 48 54 67) avec pour nouveauté les pistoles de Marie-Antoinette, des palets parfumés à la cannelle, au thé, à l'orgeat, au café… **Jean-Paul Hévin** (3, rue Vavin, 75006, C4, M° Vavin, ☎ 01 43 54 09 85) primé pour ses macarons au chocolat. **La Maison du Chocolat** (19, rue de Sèvres, 75006, C3, M° Sèvres-Babylone, ☎ 01 45 44 20 40) avec ses éclairs au chocolat et ses bonbons recelant une ganache aux infusions de fenouil, de menthe ou de thé.

Les marchés

La grande tradition commerciale de Paris remonte au Moyen Âge. Survivance de cette époque, de nombreux marchés continuent d'alimenter la capitale, son ventre ou son esprit. En voici quelques-uns, pittoresques ou insolites.

Marché biologique
Bd Raspail, entre la rue du Cherche-Midi et la rue de Rennes, 75006 (C3-4)
M° Sèvres-Babylone
Dim. mat.

Tous les écolos Rive gauche et les amateurs de bio parisiens fréquentent ce joli marché de produits issus de l'agriculture biologique. Les prix sont assez élevés, mais vous pourrez y

acheter des légumes anciens, comme le pâtisson ou le potimarron, la courge ou le chou chinois… également stands de charcuterie et de produits régionaux 100 % naturels.

Marché de Belleville
Sur les terre-pleins du bd de Belleville, 75020 (HP)
M° Belleville
Mar. et ven. 7h-13h30.

On y vient de tout Paris pour trouver la banane plantain, l'igname ou la christophine. Les fruits exotiques sont également très bien représentés ; de nombreux restaurants antillais, africains ou asiatiques viennent s'y approvisionner. Grand choix d'épices et d'aromates frais. Glissez-vous parmi les femmes en boubou et laissez-vous tenter par ces arômes venus d'ailleurs.

Marché Mouffetard
Rue Mouffetard vers l'église Saint-Médard, 75005 (D4)
M° Censier-Daubenton
Mar.-sam., 9h-13h et 16h-19h30, dim. mat.

« La Mouffe » comme les Parisiens l'appellent familièrement est un marché réputé pour ses fruits, ses légumes et ses charcuteries. Avec ses étals colorés, sa vieille église et son accordéoniste, on dirait un décor de cinéma évoquant le Paris de toujours (les touristes sont malheureusement un peu nombreux). Une balade sympa pour un dimanche matin.

Marché d'Aligre
Pl. d'Aligre, 75012 (E4)
M° Ledru-Rollin
Mar.-sam. 8h-13h et 16h-19h30, dim. 8h30-13h30.

Pas très loin du quartier branché de la Bastille, la place d'Aligre a conservé son authenticité de marché parisien, largement animé par des marchands nord-africains. Sur la place, le marché Beauveau est une belle halle couverte du XIXe s. qui vaut le détour pour ses pavés à l'ancienne et sa fontaine. Excellent charcutier et exceptionnel fromager. Sur la place, plusieurs stands de fripes.

Marché aux Fleurs et aux Oiseaux

Pl. Louis-Lépine, 75004 (D3)
M° Cité
Fleurs : t. l. j. 8h-19h
Oiseaux : dim. 9h-19h.

À deux pas de Notre-Dame, primevères, géraniums, rhododendrons et hortensias occupent le sol de l'île de la Cité. Bonne sélection de bonsaïs. Le dimanche, les plantes laissent la place aux volatiles. Canaris, mainates, perruches et oiseaux rares rivalisent de trilles. Si vous êtes

avec vos enfants, poursuivez la balade en traversant la Seine. Juste en face, sur le quai de la Mégisserie, se trouvent des animaleries et des boutiques d'aquariophilie (ouv. le dim.) où vous pourrez voir des poissons de toutes les mers du monde.

Le Marché parisien de la création

Bd Edgar-Quinet, 75014 (C4)
M° Edgar Quinet
Dim. 10h-19h.

Le long du boulevard Edgar-Quinet et entre les rues du Départ et de la Gaîté, 120 artistes professionnels ou amateurs, exposent leurs créations. Une bonne occasion de voir ce qui se fait actuellement et pourquoi pas d'acheter car il est demandé aux participants de pratiquer des prix raisonnables pour ne pas dénaturer ce marché et lui garder son caractère convivial.

Marché Saint-Pierre

2, rue Charles-Nodier, 75018 (C1)
M° Anvers
☎ 01 46 06 92 25
Lun.-sam. 10h-18h30 ;
f. le lun. en août.

Ce grand magasin de tissus est le royaume des couturières et des bricoleuses. Au rez-de-chaussée tous les tissus d'habillement, au 1er les lainages et fausses fourrures, au 2e le rayon soierie est le meilleur de Paris, au 3e des tissus d'ameublement et au 4e le linge de maison, mon tout à des prix imbattables ! À côté, le magasin Reine est plutôt spécialisé dans l'ameublement. Enfin dans les rues avoisinantes des échoppes ne vendent que du tissu, transformant le quartier en un vaste marché textile.

Marché de Saint-Denis

Pl. Jean-Jaurès et dans la halle (HP)
M° Saint-Denis-Basilique
Mar., ven. et dim. 8h-13h.

C'est le dimanche que le marché de Saint-Denis est le plus animé et le plus important avec ses 300 étals qui en font l'un des plus grands d'Île-de-France. On vient en famille pour y faire ses courses ou s'y promener. C'est un vrai « marché du monde » où les produits de l'Europe du Sud, des Antilles, du Maghreb, de l'Afrique voisinent avec les salades, les carottes et les radis des maraîchers de la région.

TANG FRÈRES

Un incroyable supermarché asiatique. Choux chinois, kumquats, riz basmati, œufs de cent ans, bouchées vapeur, viandes, poissons, bonsaïs, vaisselle, bières chinoises, plats préparés comme le canard laqué. Des prix défiant toute concurrence, de la couleur, de l'ambiance. Un dimanche après-midi, quand tout est fermé à Paris, vous aurez l'impression d'être en Extrême-Orient pour le prix d'un ticket de métro.

48, av. d'Ivry, 75013, M° Porte-d'Ivry (HP)
☎ 01 45 70 80 00, mar.-dim. 9h-19h30.

La chine à Paris

Le riche passé artistique de la France a fait de Paris la place forte du marché de l'art ancien. Tous les jours ce sont des ventes aux enchères, les week-ends des déballages aux puces, la semaine des salons, sans oublier les prestigieuses manifestations comme la Biennale des antiquaires. Le chineur a l'embarras du choix et ne saura plus où donner de la tête.

L'Hôtel Drouot

9, rue Drouot, 75009 (C2)
M° Richelieu-Drouot
☎ 01 48 00 20 20
Lun.-sam 11h-18h. Guide gratuit disponible à l'entrée.
Drouot est la plus ancienne salle des ventes aux enchères au monde. Dans cette fourmilière d'antiquaires, collectionneurs et curieux baladent leur œil de connaisseur d'une salle à l'autre. L'exposition des objets à lieu la veille de la vente de 11h à 18h et le matin même de 11h à 12h. Après, à partir de 14h ont lieu les ventes. On y trouve du « tout-venant » et des pièces de musée à quelques millions d'euros, mais attention, entre 15 et

20 % de frais sont à ajouter au montant de la dernière enchère, alors ne vous laissez pas entraîner… Des chiffres : 21 salles et 800 000 lots vendus chaque année en 3 000 ventes !

Les puces de Saint-Ouen

(HP par D1)
M° Porte-de-Clignancourt
Sam.-dim. 10h-18h.

Les puces de Saint-Ouen représentent la plus grande surface au monde consacrée au commerce des antiquités. Composées de plusieurs marchés, les plus authentiques sont ceux de Vernaison, Paul-Bert et Biron. Serpette regroupe des antiquaires plus « haut de gamme », Jules-Vallès est un

bric-à-brac inimaginable. Il est rare que les puces soient désertes, marchands, amateurs et touristes sont toujours présents quelle que soit la météo (voir aussi p. 20-21).

Les puces de Vanves

Av. Georges-Lafenestre et av. Marc-Sangnier, 75014 (HP par B4)
M° Porte-de-Vanves
Sam.-dim. 8h-13h.

Un vrai déballage avec des stands tantôt généralistes, tantôt spécialisés vendant peintures, bibelots, argenterie et meubles de style, parfois d'époque. Tous les objets sont vendus dans leur « jus » : en les retapant et en les détournant on peut en faire quelque chose de déco et d'original. Avis : mieux vaut se lever tôt pour circuler tranquillement dans l'unique allée centrale.

Le Carré Rive gauche

Dans un périmètre délimité par le quai Voltaire, la rue des Saints-Pères, la rue de l'Université et la rue du Bac (C3)
M° Rue-du-Bac.

Ici se regroupe le gratin des antiquaires parisiens. Les antiquités sont souvent de très belle qualité. En décembre sont organisées des nocturnes. En mai, chacun expose un chef-d'œuvre et le Tout-Paris

se déplace à cette occasion. N'oubliez pas de pousser la porte de la galerie Camoin-Demachy, qui se trouve dans un somptueux immeuble au 13, quai Voltaire (M° Rue-du-Bac, ☎ 01 42 60 70 10).

Le marché aux Livres

Parc Georges-Brassens, à l'angle de la rue de Brancion et de la rue des Morillons, 75015 (HP par B4)
M° Porte-de-Vanves
Sam.-dim. 9h30-18h.

En bordure du parc Georges-Brassens, sous l'ancienne halle aux chevaux des abattoirs de Vaugirard, se tient chaque week-end le marché aux Livres. Une dizaine de marchands déballent leurs caisses dans lesquelles on peut trouver une rareté. On y cherche des livres épuisés, on y lit des BD et on se constitue sa bibliothèque à bon prix.

Le Louvre des Antiquaires

2, pl. du Palais-Royal, 75001 (C3)
M° Palais-Royal
☎ 01 42 97 27 27
www.louvre-antiquaires. com
Mar.-dim. 11h-19h ; f. le dim. juil.-août.

Sur trois niveaux sont concentrés plus de 200 antiquaires. Au sous-sol, les marchands de bijoux et de

montres anciennes, au rez-de-chaussée et au premier étage, les antiquaires. Toutes les spécialités sont représentées, tapis, mobilier, objets d'art et de curiosité, faïence, art populaire, archéologie, art d'Extrême-Orient, tableaux, sculptures et vous paierez sans doute le prix fort…

CLIN D'ŒIL

Un coup de cœur pour la galerie **L'Asie animiste** (13, rue Mazarine, 75006, C3, M° Odéon, ☎ 01 43 54 28 31), qui présente de magnifiques parures ethniques provenant d'Asie et des îles océaniennes, des bronzes indiens, des sculptures à des prix très raisonnables.

Les galeries d'art

Aujourd'hui, les galeries d'art sont un peu partout dans la capitale, cependant elles restent concentrées dans le Marais, rue Louise-Weiss dans le XIIIe et rue de Seine dans le VIe pour les étoiles montantes. Les plus avant-gardistes se trouvent dans le nord de Paris et celles dont la renommée n'est plus à faire avenue Matignon.

Le Plateau

Pl. Hannah-Arendt, angle de la rue des Alouettes et de la rue Carducci, 75019 (E1)
M° Jourdain
☎ 01 53 19 84 10
www.fracidf-leplateau.com
Mer.-ven. 14h-19h, sam.-dim.12h-20h ; f. les 24-25 et 31 déc., 1er janv. 1er mai.
Entrée payante pour les événements.

À proximité du parc des Buttes-Chaumont, c'est un

espace de création qui a pour vocation de présenter au cours d'expositions et de manifestions les œuvres qui constituent le Fonds régional d'art contemporain d'Île-de-France. Arts plastiques, danse, musique, ici toutes les formes d'art entrent en résonance.

La Maison Rouge

10, bd de la Bastille, 75012 (E4)
M° Quai-de-la-Rapée
☎ 01 40 01 08 81
www.lamaisonrouge.org
Mer.-dim.11h-19h (jeu. 22h) ; f. 25 déc., 1er janv. et 1er mai
Accès payant.
Dans une ancienne usine construite autour d'un pavillon d'habitation baptisé la Maison Rouge se trouvent 4 salles d'expositions, une de conférences, une librairie et un café. Cette fondation est à

l'initiative d'Antoine Galbert, un amateur d'art contemporain qui s'occupe de promouvoir les différentes approches et formes d'art actuelles.

Emmanuel Perrotin

76, rue de Turenne, 75003 (D3)
M° Saint-Sébastien-Froissart
☎ 01 42 16 79 79
www.galerieperrotin.com
Mar.-sam. 11h-19h ;
f. en août.

C'est la plus américaine des galeries françaises par sa dimension et son efficacité. En effet, elle organise 12 expositions par an pour présenter le travail d'artistes confirmés ou plus jeunes de toutes les nationalités. Beaucoup ont démarré ici, comme Takashi Murakami, Maurizio Cattelan, Bernard Frize, Sophie Calle ou Xavier Veilhan.

Yvon Lambert

108, rue Vieille-du-Temple, 75003 (D3)
M° Filles-du-Calvaire
☎ 01 42 71 09 33
www.yvon-lambert.com
Mar.-ven. 10h-13h, 14h30-19h, sam. 10h-19h ; f. août.

Yvon Lambert est un dénicheur de talents et On Kawara, Carl Andre, Nan Goldin, Daniel Buren, Sol Lewitt ou encore Niele Toroni ont fait leurs débuts ici. Tous les courants de l'art contemporain sont représentés, minimalisme, art conceptuel, installations, photographie et vidéo…

Deux galeries de photographies

Agathe Gaillard (3, rue du Pont-Louis-Philippe, 75004, D3, M° Hôtel-de-Ville, ☎ 01 42 77 38 24, www.agathegaillard.com ; mar.-sam. 14h-19h ; f. en août) présente le travail d'artistes comme Cartier-Bresson, Alvarez Bravo ou Boubat. **La Galerie 213** (58, rue Charlot, 75003, D2, M° République, ☎ 01 43 22 83 23, www.galerie213.com ; mar.-sam. 12h30-19h) quant à elle est spécialisée dans la photographie contemporaine. À son palmarès, Dawid et Jackie Nickerson entre autres.

La Fondation Cartier

261, bd Raspail, 75014 (C4)
M° Raspail
☎ 01 42 18 56 50
www.fondation.cartier.com
Mar.-dim. 12h-20h lors des expositions
Accès payant.

Dans ce bâtiment de verre et de métal dessiné par Jean Nouvel, la Fondation Cartier organise chaque année cinq expositions autour de la peinture, de la vidéo, de la photographie, du

design ou de la mode. C'est un lieu d'art contemporain mondialement reconnu.

Le Palais de Tokyo

13, av. du Président-Wilson, 75016 (A2)
M° Iéna ou Trocadéro
☎ 01 47 23 54 01
www.palaisdetokyo.com
Mar.-dim. 12h-minuit
Accès payant.

Ce lieu consacré à l'art contemporain abrite le Pavillon, un laboratoire de la création, un espace d'exposition qui s'adapte à toutes formes de création et deux jardins. Le premier jeudi de chaque mois un vernissage public est organisé pour inaugurer des petits modules d'expositions et salons.

Le Jeu de paume

1, pl. de la Concorde, 75001 (B2)
M° Concorde
☎ 01 47 03 12 50
www.jeudepaume.org
Mar. 12h-21h, mer.-ven. 12h-19h, sam.-dim. 10h-19h ; f. 25 déc., 1er janv., 1er mai
Accès payant.

Ce bâtiment qui autrefois abritait les tableaux impressionnistes est aujourd'hui consacré à la photographie et à l'image vidéo. Expositions, colloques, rétrospectives y sont organisés tout au long de l'année.

RUE DE SEINE ET RUE LOUISE-WEISS, DEUX LIEUX D'ART CONTEMPORAIN

Dans le VIᵉ, du bd Saint-Germain à la Seine, la rue de Seine (C3, M° Mabillon) regorge de galeries d'art contemporain, dont au n° 36 la galerie Vallois (☎ 01 46 34 61 07), au n° 40 Hervé Loevenbruck (☎ 01 53 10 85 68), au n° 49 la galerie Claudine-Legrand (☎ 01 43 25 96 60). Quant à la rue Louise-Weiss dans le XIIIᵉ (HP par E4, M° Chevaleret), c'est une pépinière de galeries montantes. À voir : au n° 20 Sonath (☎ 01 53 79 07 13), aux nᵒˢ 24 et 34 la galerie Philippe-Jousse (☎ 01 45 83 62 48), au n° 28, Praz-Delavallade (☎ 01 45 86 20 00) et au n° 32, Air de Paris (☎ 01 44 23 02 77).

Création, design
et savoir-faire !

En matière de création et de design, les galeries sont de plus en plus nombreuses à dénicher des objets et des accessoires qui réinventent le quotidien. Les Puces du Design, le Designer's Days proposant durant quatre jours une promenade pour découvrir les lieux de la création dans la capitale, autant de manifestations qui attestent de ce nouvel engouement pour des objets déjà « cultes » ou en passe de le devenir !

Magna Carta
101, rue du Bac, 75007 (B3)
M° Sèvres-Babylone
☎ 01 45 48 02 49
Lun.-sam. 11h-19h ; f. août.

La ligne conductrice de Magna Carta est celle du papier. Il y a tout ce qui touche au cadeau,

des papiers d'emballage qui changent au gré des saison, des étiquettes, de la petite papeterie mignonne et artisanale, mais aussi des cartes originales peintes à la main (10 €) ou ornées de feuilles séchées (9 €).

Le passage du Grand-Cerf
145, rue Saint-Denis, 75002 (D2)
M° Étienne-Marcel
Pass. : lun.-sam. 8h30-20h.

Bijoux, objets, meubles des années 1950, 60 ou 70, rééditions, on navigue de vitrine en vitrine en passant un agréable moment de découverte. Deux fois par an sont organisées en ces lieux

les Puces du Design qui à chaque édition mettent en avant un jeune créateur (www. pucesdudesign.com).

3 par 5
25/27, rue des Martyrs, 75009 (C1)
M° Saint-Georges
☎ 01 44 53 92 67
www.3par5.com
Lun. 14h-19h30, mar.-sam. 11h-19h30 ; f. en août.

Emmanuelle Chabat et Anne Gomis sont toujours à l'affût de nouveaux talents en matière de création. Les objets en boutique sont des pièces uniques ou réalisées en série limitée si bien qu'ils ne font pas de vieux os ! Tous les deux mois elles renouvellent le lieu avec de nouvelles découvertes.

La Chaise Longue

2, rue de Sèze, 75009 (C2)
M° Madeleine
☎ 01 44 94 01 61
Lun.-sam. 10h30-19h30
20, rue des Francs-
Bourgeois, 75003 (D3)
M° Saint-Paul
☎ 01 48 04 36 37
Lun.-sam. 11h-19h, dim.
14h-19h
8, rue Princesse, 75006 (C3)
M° Mabillon
☎ 01 43 29 62 39
Lun.-sam. 11h-19h30.

Une collection sympa et sans façons, de la vaisselle en tôle émaillée, des couleurs fortes, des fleurs exotiques, des poissons chinois. On y trouve des verres bicolores et une superbe collection barbotine en forme de légumes ou de fruits, les bols avocat ou fraise à 9 € ou les assiettes kiwi (9 €).

Galerie Kréo

22, rue Duchefdaville, 75013
(HP par E4)
M° Chevaleret
☎ 01 43 60 10 42
Lun.-ven. 9h30-18h30,
sam. 10h-18h ; f. en août.

Située dans le prolongement de la rue Louise-Weiss, la galerie Kréo présente du mobilier et des objets de designers contemporains reconnus sur la scène de la création internationale. On y trouve en exclusivité des pièces en édition limitée de Ronan & Erwan Bouroullec, Marc Newson et Martin Szekely, Marc Bonetti, Emile Sottsass...

Pylônes

98, rue du Bac, 75007 (B3)
M° Rue-du-Bac
☎ 01 42 84 37 37
Lun.-sam. 10h30-19h
7, rue Tardieu, 75018 (C1)
M° Abbesses
☎ 01 46 06 37 00
Lun.-jeu. et dim. 10h30-19h,
ven. 10h30-19h30, sam.
10h-20h.

Un petit cadeau de dernière minute à faire ? Eh bien, vous n'aurez que l'embarras du choix, des stylos Stella, une petite bonne femme avec des plumes (10 €), les sonnettes de vélo (10,70 €) et l'antivol à tête de serpent (20 €).

Claude Jeantet

10, rue Thérèse, 75001 (C2)
M° Palais-Royal
☎ 01 42 86 04 36
Lun.-ven. 11h-19h,
sam. sur r.-v.

Elle passe la plupart de ses journées à cartonner dans sa minuscule boutique atelier ! Claude coupe, déshabille du carton d'emballage, le plie, le colle et joue sur sa structure cannelée et ondulée pour donner naissance à des petits animaux rigolos, un élan, un lapin, un lion, un éléphant (10 € pièce), à des marionnettes ou à des cadres photos uniques en leur genre.

Benneton

75, bd Malesherbes, 75008
(B1-2)
M° Saint-Augustin
☎ 01 43 87 57 39
www.bennetongraveur.com
Lun.-ven. 9h-18h15,
sam. 9h-12h.

Fondée en 1880, cette entreprise familiale ressemble à la fois à une pharmacie du XIXe s. et à un club anglais distingué. Cartes de visite raffinées, timbrées, bordées à la gouache ou décorées avec un sujet animalier ou floral. À l'unité, à partir de 5 € la carte et son enveloppe assortie, 40 € par 10.

---

107 RIVOLI

La boutique du musée des Arts décoratifs propose des rééditions et présente le travail de créateurs contemporains. La sélection de bijoux est très importante et met en avant la recherche de matière. Dans la partie décoration, arts de la table, on trouve tout ce qui est nouveau avec chaque mois la mise en valeur d'un designer ou d'une thématique.

Musée des Arts décoratifs, 107, rue de Rivoli, 75001 (C3)
M° Palais-Royal, ☎ 01 42 60 64 94, t. l. j. 10h-19h.

La maison
et les arts de la table

Les boutiques pour la maison ne cessent de se multiplier, proposant des meubles, des textiles, des objets de décoration dans tous les styles et pour toutes les pièces. Vous pouvez mettre en scène votre intérieur, créer une atmosphère avec les couleurs, les matières, les parfums d'ambiance, donner un air de fête à votre table, créer un univers qui vous ressemble.

Résonances

3-5, bd Malesherbes, 75008 (B2)
M° Madeleine
☎ 01 44 51 63 70
www.resonances.fr
Lun.-sam. 10h-20h.

Chez Résonances « le bien-être a du sens » et plus particulièrement dans le

rayon salle de bains qui se fait belle et bio ! En effet, en plus des savons, les sels de bains, vous trouverez des peignoirs en bambou dernière mode à 95 €. Pour la chambre, des coussins, des oreillers « ergonomiques », pour le salon, des diffuseurs d'huiles essentielles pour la touche « aromathérapie ».

Diptyque

34, bd Saint-Germain, 75005 (D4)
M° Maubert-Mutualité
☎ 01 43 26 45 27
www.dyptique.tm.fr
Lun.-sam. 10h-19h.

Depuis 1963, Diptyque édite une ligne de bougies parfumées pour la maison, dont la réputation internationale n'est plus à

faire. Au total, 55 senteurs qui se déclinent aussi en vaporisateur d'intérieur. Il y a les herbacées, les florales, les fruitées, les épicées et les boisées. La bougie de 60 heures est à 36 € et il existe un coffret découverte à 63 €.

Potiron

57, rue des Petits-Champs, 75001 (C2)
M° Pyramides
☎ 01 40 15 00 38
Lun.-sam. 10h-19h30.
Voilà dix ans que Potiron propose des petits objets déco toujours « lookés », très tendance et à petit prix. On joue sur les couleurs, les matières et les motifs tandis que les prix s'échelonnent de 1 € pour le set à salade collection Petit Champ, à 150-

200 € pour des petits meubles, en passant par un coffret Pop de 6 tasses à café à décor de marguerites à 10,90 €.

Sentou

29, rue François-Miron, 75004 (D3)
☎ 01 42 78 50 60
et 24, rue du Pont-Louis-Philippe, 75004 (D3)
☎ 01 44 71 00 01
M° Saint-Paul
Mar.-sam. 11h-19h
26, bd Raspail, 75006 (C3)
M° Sèvres-Babylone
☎ 01 45 49 00 05
Lun. 14h-19h, mar.-sam. 11h-19h ; f. 2 sem. en août
www.sentou.fr

La boutique située au n° 24 est entièrement consacrée aux arts de la table. Notre coup de cœur : les créations des Tsé & Tsé, deux jeunes filles rendues célèbres par leur fameux vase d'Avril. Faites également un tour au showroom du n° 29, sur trois étages, pour admirer les meubles, les textiles, les lampes en papier wachi, les guirlandes de lumière.

Le Cèdre Rouge

25, rue Duphot, 75008 (C2)
M° Madeleine
☎ 01 42 61 81 81
Lun. 12h-19h, mar.-ven. 10h30-19h, sam. 10h-19h.

Coup de soleil sur la Madeleine grâce aux tons de miel, de framboise et d'olive des produits du Cèdre Rouge. Du fer forgé, des céramiques, du rotin ; le travail de l'artisan. Une très jolie vaisselle, des canapés éclatants, un linge de maison tout doux. Saladier à 33 € ; chaise en fer forgé et habillage d'écorce de rotin, 150 à 200 €.

R. et Y. Augousti

103, rue du Bac, 75007 (B3)
M° Sèvres-Babylone
☎ 01 42 22 22 21
Lun.-sam. 11h-19h ;
f. 1 sem. en août.

Yiouri et Ria Augousti créent et fabriquent eux-mêmes des meubles et des objets de décoration dans l'esprit des années 1930, c'est-à-dire en utilisant des matières telles que le parchemin, le galuchat, la nacre, le lézard, la patte d'autruche… Des tables basses, des commodes… plus raisonnable un cadre photo marqueté de nacre autour de 100 €.

Mis en Demeure

27, rue du Cherche-Midi, 75006 (C3)
M° Sèvres-Babylone
☎ 01 45 48 83 79
www.misendemeure.com
Lun.-sam. 10h-19h.

Un beau décor, des lustres à pampilles, des meubles patinés à l'ancienne, une table dressée avec de splendides verres. C'est dans un esprit du XVIIIe s. que Mis en Demeure fabrique et réédite des meubles. Un petit lustré perlé vous coûtera 275 €.

TOILES BAYADÈRES

Elles apportent un véritable coup de soleil dans votre intérieur en se glissant sur les canapés, les fauteuils, les coussins, la table, les tabliers, les rideaux… et vous les trouverez dans deux boutiques à Paris : **Jean Vier** (66, rue de Vaugirard, 75006, C4, M° Saint-Placide, ☎ 01 45 44 26 74 ; lun.-sam. 10h15-19h ; f. 2 sem. en août), l'artisan de la toile basque. Comptez entre 30 et 54 € le mètre. **Les Toiles du Soleil** (12, rue Jacob, 75006, C3, M° Saint-Germain-des-Prés, ☎ 01 46 33 00 16 ; lun. 14h30-19h, mar.-sam. 10h30-14h et 14h30-19h), l'artisan de la toile catalane. Comptez entre 35 et 45 € le mètre.

La Case de cousin Paul

47 bis, rue d'Orsel, 75018
(C1)
M° Abbesses ou Blanche
☎ 01 55 79 19 41
Mar.-ven. 13h-19h30, sam.
11h-20h, dim. 15h-19h.

Stéphane et Sophie ont
beaucoup voyagé et rencontré
des artisans. C'est ainsi que
germa l'idée toute simple
d'ouvrir une boutique de
guirlandes lumineuses.
Au mur, des paniers remplis
de petites boules de toutes
les couleurs en fils de coton
durcis. Vous n'avez plus qu'à
choisir les tons désirés et les
fixer sur les ampoules.
Comptez 12,50 € !

Astier de Villatte

173, rue Saint-Honoré,
75001 (B2/C2)
M° Palais-Royal
☎ 01 42 60 74 13
www.astierdevillatte.com
Lun.-sam. 11h-19h30 ;
f. 3 sem. en août.

Un mobilier traité avec
originalité, des terres cuites
émaillées dans un atelier
parisien, des vases, des coupes,
de la vaisselle. Tout est fait
à la main, on choisit parmi
des patines toutes différentes.
À partir de 28 € l'assiette et
100 € le vase.

Zina

19, rue La Vieuville, 75018
(C1)
M° Abbesses
☎ 01 42 23 69 46
Mar. 15h-19h30, mer.-sam.
11h30-13h30 et 14h30-
19h30, dim.15h-19h30.

Adrienne Bouyssonie crée des
meubles, des objets pour la
maison. Les matières qu'elle
aime sont le verre soufflé à
la bouche, le cuivre étamé
et martelé, le fer forgé et
les textiles « bruts ». Elle
dessine, elle crée et fait ensuite
fabriquer ses idées en Tunisie.

Le résultat est remarquable,
beaucoup de style et de
noblesse, des objets originaux.

Les Autruches

32, rue Boulard, 75014
(HP par C4)
M° Denfert-Rochereau
☎ 01 43 20 23 62
Mar.-sam. 10h30-14h
et 15h30-19h30,
dim. 11h-13h30.

Christine et Laurence ont
ouvert il y a trois ans cette
boutique où l'on achèterait
bien tout. Elles ne choisissent
que ce qu'elles aiment. Un
photophore à 15 €, un
dessus-de-lit à 300 €, un
super service à café façon
émail comprenant le plateau,
la cafetière et les 6 tasses à
125 €, des sacs shopping de
chez Joyeuse en toile de bâche
de camion à 60 €.

Les Mille Feuilles

2, rue Rambuteau, 75003
(D3)
M° Rambuteau
☎ 01 42 78 32 93
www.les-mille-feuilles.com
Lun. 14h-19h, mar.-sam.
10h-19h ; f. 2 sem. août.

Philippe et Pierre ont fait
de leur boutique un lieu
unique en son genre,
un paradis des objets de
décoration pour la maison.
Un paradis très hétéroclite
composé d'objets coup de
cœur provenant de France, du
Canada, d'Italie, d'Inde,
de Chine… fait de matières
très diverses, du bois,
du bronze, de la résine,
de la porcelaine…

Maison de Famille

29, rue Saint-Sulpice, 75006
(C3)
M° Saint-Sulpice
☎ 01 40 46 97 47
Lun.-sam. 10h30-19h ;
f. le lun. en août.

Avec ses deux étages, on dirait
une vraie maison. Les couleurs
donnent le ton : naturelles
et douces. Les meubles ont
un passé et le moindre objet,
un petit air connu. Le linge,
la vaisselle, la verrerie, les
vêtements, tout a le charme
discret d'une certaine
bourgeoisie. Grande assiette à
partir de 15 €.

Gien

18, rue de l'Arcade, 75008
(B2/C2)
M° Madeleine
☎ 01 42 66 52 32
www.gien.com
Mar.-ven. 10h30-19h,
sam. 11h-18h30.

Les arts de la table avec la
faïencerie de Gien, du
petit déjeuner au dîner
en passant par les cadeaux
de mariage et de naissance.
Une gamme contemporaine
créée par de jeunes stylistes,
des motifs fleuris, des
couleurs fraîches. Entre
50 et 150 € le coffret
d'assiettes à dessert.

Kitchen Bazaar

11, av. du Maine, 75015 (B4)
M° Montparnasse-
Bienvenüe
☎ 01 42 22 91 17
Galerie des Trois-Quartiers,
23, bd de la Madeleine,
75001 (C2)
☎ 01 42 60 50 30
M° Madeleine
Lun.-sam. 10h-19h.

Trente ans d'existence,
des matières contemporaines,
un design où l'Inox est roi.
Des ustensiles de cuisine aussi
beaux qu'intelligents, *made
in USA* ou *in Japan*, qui ne se
cachent pas dans la maison.
Grille-pain Inox : à partir
de 65 €.

Mia Zia by V. Barkowski

4, rue de Caumartin, 75009
(C2)
M° Madeleine
☎ 01 44 51 94 45
Lun.-sam. 11h-19h.

Mia Zia, c'est le pompon !
Le 2e étage de la boutique
chante l'art de vivre à la
maison avec produits faits
main, des matières et des
finitions impeccables, des
formes subtiles, de la couleur,
du linge de lit et de table, des
coussins brodés aux motifs
variés, de la passementerie,
des tapis, des céramiques…
On craque complètement pour
les serviettes en éponge vert
menthe avec une rangée de
pompons multicolores entre 28
et 176 € selon les finitions.

Oops !

26, rue de Rochechouart,
75009 (C1)
M° Cadet ou Anvers
☎ 01 53 16 17 88
www.oopshome.com
Mar.-sam. 11h-19h30 ;
f. 14 juil.-15 août
3, rue des Mauvais-Garçons,
75004 (D3)
M° Hôtel-de-Ville
☎ 01 42 71 28 18
Lun.-sam. 11h30-19h30,
dim. 12h30-19h30.

Le temple du gadget design,
une multitude d'objets pour
la maison. Les deux mots
d'ordre sont la couleur et le
fun. On s'étonne devant des
pyramides à fruits à 13,50 €,
on rigole devant un ramasse-
miettes électrique coccinelle
à 10 €…

Saisons

25, rue de Varenne, 75007
(C3)
M° Rue-du-Bac
☎ 01 45 49 38 20
www.saisons-deco.com
Lun. 14h-19h, mar.-sam.
10h30-19h ; f. 1 sem. en août.

Plutôt tournée vers le mobilier
de jardin en teck, en fer forgé
ou en chêne, la boutique
porte aussi son regard vers
l'intérieur et propose des
meubles pour le salon, la
salle à manger avec des
matières nouvelles comme
l'acier, le verre, la résine,
la céramique, l'Inox ou
le *loom* qui fait le lien
avec l'extérieur. Le premier
prix pour une table à
rallonge est de 1 150 €.

Plastiques

103, rue de Rennes, 75006
(C4)
M° Rennes
☎ 01 45 48 75 88
Lun.-sam. 10h15-19h.

Trente ans de métier pour cette
petite boutique qui ne vend que
des accessoires en plastique
pour la cuisine, la salle de
bains et le jardin ! L'autre
caractéristique est la couleur
éclatante de ses collections. Des
plateaux, des saladiers vintage
des années 1970 (20 €), de
la vaisselle pour enfants qui a
toujours beaucoup de succès.

La nature à Paris

La nature à Paris passe souvent au premier plan. Tous les prétextes sont bons pour mettre quelques touches de verdure. Une ancienne voie de chemin de fer se transforme en Coulée verte, les parcs et jardins ont tous une histoire et des merveilles botaniques à révéler, les balcons se colorent dès les beaux jours et les fleuristes et jardineries dans la capitale fleurissent de jour en jour !

Hervé Chatelain

140, rue Montmartre, 75002
(C2)
M° Bourse
☎ 01 45 08 85 57
Lun.-sam. 10h-20h.

Hervé Chatelain crée des compositions où la fleur, l'eau et le vase entrent en harmonie. Les formes du vase et de la fleur se répondent, les couleurs jouent entre elles ou se déclinent dans des camaïeux, les parfums s'exhalent et les matières s'opposent. Une petite composition avec un vase galet et une orchidée à partir de 12 €, des vases fleurs à 20 et 25 €.

Les Établissements Lion

7, rue des Abbesses, 75018
(C1)
M° Abbesses
☎ 01 46 06 64 71
Mar.-sam. 10h30-20h,
dim. 11h-19h.

Ici, depuis 1895, on vend des graines. À l'entrée de la boutique, qui ressemble à une serre, un rayon plantes vertes et jardinage avec entre autres les fameuses graines à planter Kokopelli, qui préserve les variétés anciennes de légumes. Plus loin, le coin épicerie fine avec des produits artisanaux de grande qualité, des huiles variées, des légumes secs, des thés, des bonbons dans de grands bocaux… Un petit air de campagne à Paris.

Moulié

8, pl. du Palais-Bourbon,
75007, et 8 rue de
Bourgogne (B3)
M° Invalides
☎ 01 45 51 78 43
Lun.-ven. 8h-20h,
sam. 8h-19h ; f. en août

Impossible de passer devant
la devanture de Moulié sans
s'arrêter pour admirer des fleurs
splendides et incroyables qui
empiètent sur la rue. Dans la
boutique rue des Bourgogne,
ce sont des plantes avec une
spécialité d'orchidées ; sur la
place du Palais-Bourbon, ce
sont des fleurs blanches en
majorité, mais avec à partir de
juillet les camaïeux bleus des
hortensias issus de leurs propres
cultures en Bretagne.

Les Fées d'Herbe

23, rue Faidherbe, 75011 (E3)
M° Faidherbe-Chaligny
☎ 01 43 70 14 76
Mar.-ven. 11h-19h30,
sam. 11h-20h.

Du bois au mur, un sol en
gravier comme une allée
de jardin, le principe de la
boutique est simple : des objets
de jardin ou en rapport avec la
nature ! Sauterelles, bourdons
et papillons sur tiges (3 €)
volètent de-ci de-là ainsi que
des petites fées. Des libellules
se sont posées sur des assiettes
en porcelaine à 39 € et tout
cela au milieu des orchidées et
de plantes vertes en pot.

Les Couturiers
de la Nature

16, rue de Vaugirard, 75006
(C4)
M° Odéon
☎ 01 43 26 18 25
www.lescouturiersdela
nature.com
Lun.-sam. 10h30-19h30.

Des fleurs séchées par les
huiles qui ont l'air de fleurs
fraîches, voilà le miracle de
cette petite boutique dont les

murs sont entièrement tapissés
de pétales et de feuilles. Les
fleurs et les graines sont
conservées grâce à des huiles
naturelles qui préservent
texture, fragilité et couleur.

La Librairie
des Jardins

Jardin des Tuileries à
gauche en entrant par la
pl. de la Concorde (C2)
M° Concorde
☎ 01 42 60 61 61
T. l. j. 10h-19h ; f. 25 déc.,
1er janv., 1er mai.

Située place de la Concorde, à
la grille d'honneur du jardin
des Tuileries, la Librairie
des Jardins propose plus
de 4 000 ouvrages en lien
avec le monde des jardins.
Paysagisme, jardinage,
herboristerie et botanique,
histoire du jardin, littérature
et poésie, cartes et un
important rayon jeunesse…

en moyenne 50 € pour un
bouquet rond composé.

Atelier N'O

21, av. Daumesnil, 75012
(E4)
M° Gare-de-Lyon
☎ 01 43 46 26 26
Mar.-sam. 11h-13h et 14h-
19h, dim. 14h-18h45 ;
f. en août.

Chez N'O la nature donne le
ton. On trouve toutes sortes

Danyèle H

43, rue Saint-Augustin,
75002 (C2)
M° Opéra
☎ 01 42 65 48 95
Lun.-ven. 8h30-19h30 ;
f. en août.

Un véritable jardin à l'Opéra !
L'idée au départ était plutôt
champêtre, avec des fleurs de
la campagne, aujourd'hui
cette idée est toujours présente
mais surtout en été. Bien sûr,
on suit les saisons. Comptez

de graines exotiques, de
coquillages, de pierres, de
végétaux séchés. Dans des
boîtes, des insectes épinglés.
Les galets se transforment
en bougeoir ou bien sont
porteurs de messages
(5,50 €), le papier est recyclé
et recyclable. Le carton
devient un carnet de voyage.
N'O comme nomade, une
nature qui vient des quatre
coins du monde.

Sortir **mode d'emploi**

Se déplacer la nuit

En métro : métro ou RER, vous serez sûr de pouvoir les emprunter tous les jours de 6h à 0h30 (dernier départ en tête de ligne).

En bus : la plupart des bus s'arrêtent à 20h30, cependant quelques lignes poursuivent leur service jusqu'à 0h30. Les lignes 21, 26, 31, 38, 43n, 62, 63, 80, 91, 92, 95, PC1, PC2, PC3 desservent les arrêts sur la totalité du parcours, tandis que les lignes 24, 27, 52, 67, 72, 74, 85 et 96 circulent aussi la nuit mais seulement sur une partie de leur parcours.

Les Noctiliens : ils prennent

SE REPÉRER

Nous avons indiqué à la suite de chacune des adresses du chapitre Sortir sa localisation sur le plan placé à la fin du guide.

la relève des bus de nuit en circulant de 0h30 à 5h/5h30. Une vingtaine de lignes dessert les principaux lieux de Paris avec un temps de passage d'une demi-heure environ. On les repère aux arrêts des bus par la lettre N suivie du numéro de la ligne. On y accède librement avec la carte Paris Visite ou Mobilis, sinon il faut compter un ticket par trajet sans correspondance. Les 4 grandes gares parisiennes sont des lieux de correspondance ainsi que Châtelet au cœur de Paris.

En taxi : sur quelque 15 500 chauffeurs, à peu près 2 000 travaillent la nuit. Le plus sûr est encore de les appeler par téléphone mais beaucoup attendent le client aux stations ou tournent dans les rues et s'arrêtent quand on leur fait signe. La prise en charge à la borne est de 2 € quelle que soit la course,

le prix à payer ne peut être inférieur à 5,20 €. Il existe trois tranches horaires en fonction desquelles le tarif dans Paris au kilomètre augmente, la A (10h-17h), B (17h-10h, et dimanche et jours fériés de 7h à minuit) et la C (minuit-7h). À l'instant où vous passez le Périphérique de Paris, vous sortez de la capitale et vous changez aussi de tranche tarifaire. Si vous voulez faire un tour de Paris la nuit pour regarder les illuminations, comptez au minimum 15 € bien sûr cela dépend du kilométrage. Enfin sachez qu'il est très difficile d'avoir un taxi le samedi soir à Paris, il faut que vous soyez patient mais vous pouvez toujours utiliser les Noctiliens et marcher un peu. **Alpha Taxis :** 01 45 85 85 85 **Taxis Bleus :** 08 25 16 10 10 **Taxis G 7 :** 01 47 39 47 39 **En limousine :** s'il vous prend l'envie de jouer les VIP,

quitte à vous mettre aux pâtes en rentrant, adressez-vous à Élite Limousines, 47, rue de Chaillot, 75016,
☎ 01 47 20 23 23.

Programmes des spectacles

La plupart des quotidiens, *Le Figaro*, *Le Monde*, *Libération*… ont des pages spectacles assez documentées. La bible si vous voulez sortir reste *Pariscope* (0,4 €) ou l'*Officiel des spectacles* (0,35 €) qui paraissent le mercredi, jour où les salles de cinéma changent leur programme.

Horaires

Pour dîner, à partir de 20h, certains restaurants ont deux services et servent tard la nuit. Dans les cafés, à partir de 18h ou de 20h. À l'opéra, souvent à 19h30. Au théâtre, à 20h30 ou 21h. Au concert, à 20h30. Dans les boîtes, à 23h-23h30.

Spécial insomniaques

S'il vous prend une envie irrésistible de voir un film à minuit et demi, regardez les programmes des salles UGC des Champs-Élysées ; ceux des cinémas Gaumont, et des cinémas Publicis.
Si vous êtes en panne de nouvelles fraîches et magazines, les kiosques des 32 et 58, av. des Champs-Élysées, 75008 et du 14/16, bd de la Madeleine, 75009, restent ouverts toute la nuit.
Pour les fumeurs invétérés, le tabac La Havaneau 4, pl. de Clichy, 75018, est ouvert toute la nuit, tandis que La Favorite

dans le Quartier latin au 3, bd Saint-Michel, 75005, ferme à 2h du matin.
Pour acheter un livre ou un CD, la FNAC (74, av. des Champs-Élysées) et le Virgin Megastore (52, av. des Champs-Élysées) restent ouverts jusqu'à minuit tous les jours de la semaine. Sinon les Mots à la Bouche 6, rue Sainte-Croix-de-la-Bretonnerie, 75004 (☎ 01 42 78 88 30) est ouverte tous les jours jusqu'à 23h et le dimanche jusqu'à 20h, l'Écume des Pages au 174, bd Saint-Germain, 75006 (☎ 01 45 48 54 48), jusqu'à minuit en semaine et 20h le dimanche, enfin la Hune au 170, bd Saint-Germain (☎ 01 45 48 35 85), jusqu'à 23h45 en semaine et 19h45 le dimanche.
Vous désirez offrir des fleurs au beau milieu de la nuit, Ély Fleur, 82, av. de Wagram, 75017 (☎ 01 47 66 87 19) est ouvert 24h/24.
Vous avez promis d'apporter une bouteille pour partager un dernier verre avec vos amis, le Monoprix du 52, av. des Champs-Élysées (☎ 01 53 77 65 65), reste ouvert jusqu'à minuit.

Du jazz à tout prix ? Champs Disques, 84, av. des Champs-Élysées, ouvert du lundi au samedi de 9h à minuit.
Et pour plus d'adresses, consultez le site : www. ouvertlanuit.com

Le look

Si vous avez l'intention d'aller dans un grand restaurant, prenez un costume-cravate et un tailleur. À l'opéra ou au théâtre, sauf aux soirées des premières, il n'est plus d'usage de s'habiller. Dans les boîtes de nuit, soyez mode, avec ou sans cravate, il n'y a pas de règle. Dans les bars, les pubs ou les cafés branchés, prenez le style décontracté avec ou sans recherche. Attention aux baskets, tout le monde n'aime pas.

BILLETS DERNIÈRE MINUTE

Pour le théâtre, ils s'achètent le jour même de la représentation à demi-tarif au kiosque de la Madeleine, 75002, M° Madeleine, et au kiosque de la gare Montparnasse, 75014, M° Montparnasse, du mardi au samedi de 12h30 à 20h et le dimanche de 12h30 à 16h. En fonction des places disponibles…
Pour tous les autres spectacles, concerts, théâtre, expositions, compétitions sportives, on peut tenter sa chance aux agences de la FNAC (lun.-sam. 10h-19h30) et chez Virgin (lun.-sam. 10h-minuit, dim. 12h-minuit).
Les sites www.ticketnet.fr ou www.digitick.com vous permettent de réserver pour un spectacle, un concert, de régler par carte bancaire et de recevoir les billets chez vous par la poste ou sur votre portable, ou encore de les imprimer vous-même.

Théâtres, concerts, spectacles

1 - Théâtre de l'Odéon
2 - Opéra-Comique
3 - L'Olympia
4 - Théâtre des Champs-Élysées

Théâtres

Comédie-Française

Pl. Colette, 75001 (C2)
M° Palais-Royal
Rés. t. l. j. 11h-18h aux
guichets, ☎ 0825 10 16 80
ou sur www.comedie-
francaise.fr
Représentations lun.-ven.
20h30, sam.-dim. et j. f. 14h et
20h30 sf relâche ; f. août.

La Comédie-Française, créée
en 1680 par Louis XIV, connut
succès, batailles et revers. Ces
lieux historiques virent passer
Molière, Corneille, Racine et
bien d'autres auteurs et comédiens. Aujourd'hui on y joue
un répertoire essentiellement
classique mais où la modernité
trouve aussi sa place.

Théâtre national de
l'Odéon - Théâtre
de l'Europe

Pl. de l'Odéon, 75006 (C3-4)
Location et réservation au
☎ 01 44 85 40 40
www.theatre-odeon.fr

Après une importante rénovation, le Théâtre de l'Odéon
rouvre ses portes. Construit par
M.-J. Peyre et Ch. de Wailly au
XVIIIe s., et inauguré en 1782
par Marie-Antoinette, la salle a
gardé sa décoration d'origine,
mais a juste été restaurée et
améliorée au niveau de l'acoustique, du confort et de la sécu-
rité. Le théâtre est aujourd'hui
au service de la création et invite
des metteurs en scène internationaux à présenter leur travail
en version originale. Théâtre de
l'Europe oblige ! Rassurez-vous
les surtitrages sont aussi prévus.
Un répertoire avant-gardiste.

Classique : concert, opéra, danse

Théâtre du Châtelet

1, pl. du Châtelet, 75001 (D3)
M° Châtelet
Rés. ☎ 01 40 28 28 40
lun.-sam. 10h-19h sf j. f.,
sur www.chatelet-theatre.
com ou aux guichets t. l. j.
11h-19h.
Inauguré en 1862, le Théâtre du Châtelet était à l'époque, avec ses 2 500 places, la plus grande salle de Paris. Aujourd'hui, elle se caractérise par son répertoire très varié, composé d'opéras, de ballets, de concerts avec des chefs d'orchestre et des metteurs en scène qui renouvellent la perception des œuvres. À noter, les Midis musicaux et les concerts du dimanche matin.

Opéra-Comique

Pl. Boieldieu, 75002 (C2)
M° Richelieu-Drouot
Rés. ☎ 08 25 00 00 58, sur le site www.opera-comique.
com ou aux guichet lun.-sam. 9h-21h, dim. 11h-19h
Prix de 7 à 100 € en fonction des spectacles.

Dans ce petit opéra national se joua en 1875 la première de *Carmen*. Avec son titre de « Théâtre des musiques populaires », on joue ici de grands classiques comme *La Veuve joyeuse*, *La Périchole*, des spectacle de jazz autour de Joséphine Baker, *Le Bourgeois gentilhomme*, *Le Barbier de Séville*. Les maîtres mots sont joie et entrain.

Théâtre des Champs-Élysées

15, av. Montaigne, 75008 (B2)
M° Alma-Marceau
Rés. ☎ 01 49 52 50 50
lun.-ven. 10h-12h et 14h-18h sauf j.f., ou www.
theatrechampselysees.fr

Une programmation très éclectique mais toujours d'une qualité exceptionnelle dans ce splendide théâtre. Opéra, danse, oratorio, orchestres, musique de chambre, grandes voix ainsi que des variétés et des musiques du monde. Vous ne serez jamais déçu.

Salle Pleyel

252, rue du Faubourg-Saint-Honoré, 75008 (A2)
M° Ternes
Rens., rés. ☎ 01 42 56 13 13
t. l. j. 11h-19h (dim. 17h), sur www.sallepleyel.fr ou aux guichets lun.-sam. 12h-19h ou 20h les soirs de concert.
Dim. 2h avant le concert du jour.

Entièrement rénovée elle accueille les plus grandes formations symphoniques françaises et étrangères. Au programme : toute forme de musique, opéra version concert, musique de chambre, récitals, jazz, musiques du monde et même variétés.

Salle Gaveau

45, rue de La Boétie, 75008 (B2)
M° Miromesnil
Rés. ☎ 01 49 53 05 07,
lun.-ven. aux guichets 11h30-18h30 ou sur www.
sallegaveau.com
La destination essentielle de la salle Gaveau a toujours été le piano et la musique de chambre. Quelques orchestres s'y sont aussi produits.

Opéra Garnier

Pl. de l'Opéra, 75009 (C2)
M° Opéra
Rés. ☎ 08 92 89 90 90
(0,337 €/min) t. l. j. 9h-18h, sam. 9h-13h ; aux guichets Lun.-sam. sf j. f. 10h30-18h30.
Parmi les ors et les marbres de ce joyau Napoléon III sont programmés des concerts, des ballets, des opéras ainsi que des spectacles dits « frontières »

à cheval sur plusieurs genres ouvrant la scène à de nouvelles perspectives et à des formes d'expressions différentes.

Opéra-Bastille

102, rue de Lyon, 75012 (E3)
M° Bastille
☎ 0 892 89 90 90 (loc.).

Il vaut mieux s'y prendre à l'avance pour être sûr d'avoir des places, soit directement, soit en passant par une agence. La réouverture du palais Garnier a permis d'élargir les programmes et de toucher un plus grand nombre de spectateurs. Prix des places de 10 à plus de 100 €.

La Péniche Opéra

46, quai de la Loire, 75019 (E1)
M° Crimée ou Jaurès
☎ 01 53 35 07 76
(rés. : 11h-18h30)
Représentations à 20h30.
Une péniche reconvertie près de l'Hôtel du Nord... Mises en scène, spectacles empruntés au grand répertoire et au répertoire contemporain. De 12 à 24 €.

Concerts rock, pop, rap...

L'Olympia

28, bd des Capucines, 75009 (C2)
M° Opéra ou Madeleine
Rés. ☎ 0 892 68 33 68 ou sur www.olympiahall.com
Une institution où toutes les célébrités de la chanson française et étrangère sont passées.

Le Bataclan

50, bd Voltaire, 75011 (E2)
M° Oberkampf
☎ 01 43 14 00 30
Achat des places sur www.
le-bataclan.com, FNAC ou
Virgin.

Une salle de 1 500 places qui
existe depuis 1864. On y écoute
de la chanson et du rock. Buena
Vista Social Club, Devendra
Banhart, Natacha Atlas, Mo-
gwai, Olivia Ruiz, pour n'en
citer que quelques-uns.

La Cigale

120, bd de Rochechouart,
75018 (C1)
M° Anvers ou Pigalle
☎ 01 49 25 81 75
Rés. ☎ 08 92 68 36 22 ou sur
www.lacigale.fr

Ce théâtre inauguré en 1887 est
classé monument historique. Il
a accueilli en son temps Mistinguett et Arletty ; aujourd'hui,
dans la salle décorée par Starck,
ce sont les artistes avant-gardistes de la scène française et internationale qui s'y produisent.

La Cité de la Musique

221, av. Jean-Jaurès, 75019
(E1)
M° Porte-de-Pantin
Rens., rés. ☎ 01 44 84 44 84,
aux guichets mar.-sam. 12h-
18h, dim. 10h-18h, ou sur
www.cite-musique.fr
Places éventuelles à la caisse
une demi-heure avant les
concerts.

Au sein de l'architecture de
Christian de Portzamparc se
trouvent une salle de concert,
un amphithéâtre, une rue
musicale (concerts libres)…
pour un répertoire classique,
musique baroque, jazz, rock,
électro, chanson française,
créations contemporaines et
musiques d'ailleurs.

Le Zénith

211, av. Jean-Jaurès, 75019
(E1)
M° Porte-de-Pantin
www.le-zenith.com

Inauguré en 1984, le Zénith est
une vraie salle de concerts dont
la scène modulable s'adapte aux
différentes programmations. Le
lieu accueille des spectacles pour
enfants, des spectacles sportifs
mais aussi des concerts. Tous
les grands noms de la chanson
française et les groupes anglo-
saxons sont montés sur la scène
du Zénith.

Jazz

Le Duc des Lombards

42, rue des Lombards,
75001 (D3)
M° Châtelet
☎ 01 42 33 22 88
www.ducdeslombards.com
T. l. j. 19h-1h30
Concert quotidien à 21h30.

Jazz moderne européen, musiques improvisées, incursion
dans la musique latine. Au Duc
des Lombards, depuis 22 ans, les
plus grands du jazz français et
étranger dans un décor de bois et
de velours très agréable. L'espace
bar musical « Money Jungle »
vous accueille dès 19h pour un
drink cosy…

Le Baiser Salé

58, rue des Lombards,
75001 (D3)
M° Châtelet
☎ 01 42 33 37 71
T. l. j. 17h-7h.

Un jazz métissé, l'Afrique,
l'Amérique du Sud, les États-
Unis, l'Europe. T. l. j. 2 sessions
de concert à 19h et à 22h. Les
tarifs varient selon les concerts
(de 8 à 15 € certains sont
même gratuits).

Le Sunset et Sunside

60, rue des Lombards,
75001 (D3)
M° Châtelet
☎ 01 40 26 46 60
www.sunset-sunside.com
T. l. j. 20h30-2h.

Les deux salles le Sunset et le
Sunside offrent des tendances
très hétéroclites du jazz. Pour
le Sunset, un jazz plus ouvert,
tourné vers la musique du
monde, afro-jazz, jazz-électro,
groove. Pour le Sunside à
l'étage, un jazz acoustique, des
big bands, des duos, des trios, du
be-bop… Entrée de 8 à 25 €.

1 - Le New Morning
2 - Le Caveau de la Huchette
3 - Le Franc Pinot
4 - Le Franc Pinot

Le Caveau de la Huchette

5, rue de la Huchette, 75005
(C3/D3)
M° Saint-Michel
☎ 01 43 26 65 05
www.caveaudelahuchette.fr
Tarifs 11 € en semaine et
13 € les w.-e. et j. f.

Ce lieu historique qui vit passer depuis le XVIe s. les Templiers, les francs-maçons, les révolutionnaires est aujourd'hui devenu le temple du jazz. Depuis 60 ans, le Caveau de la Huchette avec sa piste de danse est un classique du genre. Il fut le premier caveau parisien à présenter des joueurs de jazz et les plus grands artistes s'y sont produits.

Le New Morning

7-9, rue des Petites-Écuries,
75010 (D2)
M° Château-d'Eau
☎ 01 45 23 51 41
Rens. et achat des places sur
www.newmorning.com
T. l. j. à 20h, concerts à 21h ;
rés. : 16h30-19h30.

Une institution, tous les grands noms du jazz d'Art Blakey à

Dizzy Gillespie. Du béton peint en rouge, style garage détourné. Salsa, blues, afro, rock, un mix de musique live. Entrée : 17 à 20 €.

Le Petit Journal Saint-Michel

71, bd Saint-Michel, 75005
(C3)
M° Cluny-La Sorbonne
RER Luxembourg
☎ 01 43 26 28 59
www.petitjournalstmichel.
com
Lun.-sam. 18h30-1h.

Une ambiance chaleureuse dans cette ancienne cave toute en longueur. Sur la scène, des musiciens jouent du jazz traditionnel, du jazz de la Nouvelle-Orléans. Le concert débute à 21h15 pour y assister deux solutions : réserver votre table

pour dîner (à partir de 45 €) ou passer prendre un verre dans la soirée (entrée et première consommation à 17 €).

Le Franc Pinot

1, quai de Bourbon, 75004
(D3)
M° Pont-Marie
☎ 01 46 33 60 64
www.franc-pinot.com
Mar.-sam. bar 19h-2h, club
20h-1h avec concert à 21h
Entrée, sauf concert
exceptionnel, 15 € première
consommation concert
inclus.

Sur l'île Saint-Louis, dans une double cave voûtée du XVIIe s., le Franc Pinot a une programmation de très bonne qualité. On assiste essentiellement à des concerts de jazz be-bop et ponctuellement on savoure aussi des concerts de jazz manouche, biguine ou *new orleans*. Un endroit chaleureux à découvrir.

Nightclubbing

1 - L'Hôtel Costes
2 - La Perle
3 - Buddha Bar
4 - The Frog & Princess

LA PERLE

The Frog & Princess

Pubs, bars et lounge bars

The Frog & Princess

9, rue Princesse, 75006 (C3)
M° Mabillon
☎ 01 40 51 77 38
www.frogpubs.com
Lun.-ven. 17h30-2h,
sam.-dim 12h-2h.

L'un des bars les plus animés de la capitale. Ne ratez pas l'*happy hour* quotidienne (17h30-20h) où les pintes maison et les cocktails sont à 4 €. Le lundi soir un magicien, le mardi des soirées moins chères pour les étudiants, le dimanche à 20h la nuit quiz (on forme des équipes et celle qui a le plus de bonnes réponses gagne des bières et bien d'autres prix). Côté cuisine *fish and chips*, bacon cheeseburger…

L'Hôtel Costes

239, rue Saint-Honoré, 75001 (C2)
M° Tuileries ou Madeleine
☎ 01 42 44 50 00
T. l. j. 19h-2h.

Si vous aimez voir les grands noms de la jet-set internationale, cet endroit est idéal ! Superbe décor rouge cramoisi réalisé par Jacques Garcia dans un style Napoléon III, le soir un DJ anime ce lieu lounge de ses *mix live*.

Buddha Bar

8 bis, rue Boissy-d'Anglas, 75008 (B2)
M° Concorde
☎ 01 53 05 90 00
www.buddhabar.com
T. l. j. à partir de 16h
pour le bar et 19h pour le restaurant.

Un grand bouddha doré, une déco coloniale, c'est un restaurant d'ambiance célèbre pour sa musique d'ambiance ! Ses huit compilations ont toutes été disque d'or ! On y déguste une cuisine asiatique bercé par une *world music*. Le début de soirée se fait lounge pour devenir plus rythmé au fil de la nuit.

Comptez entre 15 et 25 € pour les consommations au bar et 70 à 80 € par personne pour le restaurant.

Backstage Café

31 bis, rue de la Gaîté, 75014 (C4)
M° Edgar-Quinet
☎ 01 43 20 68 59
Lun.-sam. 12h-minuit pour le restaurant et jusqu'à 1h pour les cocktails.

La carte des cocktails du Backstage Café vaut le détour, car elle s'articule autour des envies, l'orgueil… Pour l'envie il y a le *Tendresse gin*, southern comfort, orange et citron. Pour la gourmandise, le *Chapeau melon*, rhum, malibu, melon, kalhua, vanille et pomme. Quant à l'avarice ce sont les cocktails sans alcool ! Un programme goûteux à la portée de toutes les bourses, de 6 à 10 € environ.

La Flèche d'Or

102 bis, rue de Bagnolet, 75020 (HP par E3)
M° Gambetta ou Belgrand
☎ 01 44 64 01 02
www.flechedor.fr
T. l. j. 18h-2h en sem., 6h le w.-e. L'été consulter le site. Restaurant 20h-minuit réservation nécessaire. Accès libre.

Sous la verrière, assis sur les anciens bancs en bois des wagons d'antan, on peut laisser planer son imagination sur la voie désaffectée. On vient ici pour un verre le soir, puis à partir de 20h le lieu devient un café-concert, à minuit les Djs s'installent. Une programmation rock and roll exclusivement.

L'Ice Kube

1/5, pass. Ruelle, 75018 (D1)
M° La Chapelle
☎ 01 42 05 20 00
www.kubehotel.com
T. l. j. 18h30-2h.
Entrée 38 €/pers. et vodka à volonté.

C'est LE nouveau lieu branché de la capitale : un bar de glace ! Pas question d'y passer la soirée, ici on s'offre un plaisir rafraîchissant qui ne dure qu'une demi-heure. Mais quelle sensation ! On y déguste de la vodka et des cocktails givrés sur une musique hivernale qui commence doucement pour une découverte de la glace et va crescendo vers des rythmes électro-rock, alors si vous avez encore froid, dansez !

La Perle

78, rue Vieille-du-Temple, 75003 (D3)
M° Hôtel-de-Ville
☎ 01 42 72 69 93
T. l. j. 6h30-2h
Le soir assiettes à 9 € et bière à 3 €.

Voici un bistrot qui a gardé sa déco sympa des années 1970. Dans une ambiance très conviviale, on y sirote la spécialité de la maison la bière d'absinthe. Sinon le soir on dîne d'une assiette de charcuterie ou de fromage pour un prix qui n'excède jamais 10 € ! À midi on trouve un service brasserie classique.

L'Entrepôt

7, rue Francis-de-Pressensé, 75014 (HP par B4)
M° Pernety
☎ 01 45 40 07 50
www.lentrepot.fr
T. l. j. bar forum 11h-1h, restaurant service à midi et le soir.
Formule 16 € à midi, 26 € le soir.

L'Entrepôt, c'est un espace convivial où l'on peut prendre un verre et discuter dans le bar forum. Là se déclinent de multiples activités comme des spectacles vivants, des concerts, des cafés-philo, des conférences, des débats ou des festivités littéraires. Il y a aussi un cinéma avec une programmation bien à lui et une galerie d'exposition. Sous la verrière et dans le jardin, un restaurant qui invite à découvrir les produits du terroir !

Clubbing, concerts

La Guinguette Pirate

Quai François-Mauriac, 75013 (HP par E4)
Jonque chinoise en bois, au pied de la BNF, en face de Bercy, M° Bibliothèque-François-Mitterrand
☎ 01 43 49 68 68
www.guinguettepirate.com
Mar.-sam. 19h-2h, lun. et dim. selon la programmation.
Réservation FNAC ou dès 20h30 à bord du bateau.
Restaurant 20h-23h30 (rés. ☎ 01 53 61 08 49).

MAIS AUSSI…

Des soirées, tango, salsa, des soirées musiques du monde ou théâtre…
• **Les couleurs :** 117, rue Saint-Maur, 75011 (E2), M° Parmentier, ☎ 01 43 57 95 61, t. l. j. 12h-2h.
• **Satellit Café :** 44, rue de la Folie-Méricourt, 75011 (E2), M° Oberkampf, ☎ 01 47 00 48 87, mar.-jeu. 20h-3h et ven. sam. 22h 6h.
• **Le Mécano Bar :** 99, rue Oberkampf, 75011 (F2), M° Parmentier, ☎ 01 40 21 35 28, lun.-ven. 9h-2h, sam.-dim. 9h-5h.
• **Lou Pascalou :** 14, rue des Panoyaux, 75020 (E2), M° Ménilmontant, ☎ 01 46 36 78 10, t. l. j. 9h-2h.

Un cadre peu banal à la programmation éclectique et une ambiance assurée. Le mardi, jazz manouche et musique tzigane, mercredi, scène ouverte, *slamers*, Djs toasteurs, *happenings*, jam session, jeudi, découverte de voix d'ici et d'ailleurs, vendredi et samedi concerts de chansons et musiques du monde, enfin le week-end c'est fête toute la nuit !

Le Divan du Monde

75, rue des Martyrs, 75018 (C1)
M° Pigalle
Prog. ☎ **01 40 05 06 99**
Rés. : FNAC, Virgin ou sur place ☎ **01 42 52 02 46**
www.divandumonde.com
À partir de 19h.

Deux salles de spectacles qui peuvent se réunir et accueillir toutes les expressions artistiques (rock, soirées électro, apéritifs musique tzigane ou jazzy). La salle des spectacles ouvre ses portes de 19h à 23h et est réservée aux programmations longues, tandis que le Divan japonais, dans un décor baroque et futuriste, prend le relais jusqu'à 3 h.

Le Glaz'Art

7-15, av. de la Porte-de-la-Villette, 75019 (HP par E1)
M° Porte-de-la-Villette
☎ **01 40 36 55 65**
www.glazart.com
Mer.-sam. 20h30-2h, (5h le sam.).

Une ambiance assurée dans cette ancienne gare routière recyclée en café-concert. De soirées *live* en DJ perf', une programmation éclectique de qualité. 3 à 4 soirées par semaine, entre 8 et 15 € l'entrée. Parallèlement, c'est aussi un espace pluriculturel qui accueille des expositions, organise des ateliers vivants, projette des courts métrages.

La Maroquinerie

23, rue Boyer, 75020 (E2)
M° Ménilmontant
☎ **01 40 33 35 05**
www.lamaroquinerie.fr
T. l. j. bar 18h-2h ; restaurant 19h-minuit ☎ **01 40 33 64 85 ; f. en août. et j. f.**

La Maroquinerie, c'est une salle de concerts de 500 places avec une programmation de musiques actuelles très variées. C'est aussi un club et un bar-restaurant qui se transforme au besoin en lieu d'exposition et dont la terrasse dans la verdure permet de terminer la soirée agréablement.

Le Triptyque

142, rue Montmartre, 75002 (C2)
M° Grands-Boulevards
☎ **01 40 28 05 55**
www.letriptyque.com
Réservation FNAC
Jours et heures d'ouvertures en fonction de la programmation.

Le Triptyque ce sont trois espaces, un côté lounge pour boire un verre avec des écrans qui rediffusent les concerts ou montrent en *live* le DJ, un côté bar, et enfin une salle de concerts avec sa scène et des vitrines pour des expositions thématiques. Un public entre 20 et 30 ans vient assister aux concerts de rock ou d'électro. À noter, une fois par mois, la soirée L'œil du Son sur des rythmes plutôt soul, hip-hop ou funk.

Le Nouveau Casino

109, rue Oberkampf, 75011 (E2)
M° Ménilmontant
☎ **01 43 57 57 40**
www.nouveaucasino.net
Rés. FNAC, Virgin et Digitick.com. Place entre 7 et 20 €.
T. l. j. selon programmation. Concerts 19h30-20h. Club jeu.-sam. minuit-aube.

Ouvert en 2001, le Nouveau Casino fait partie des grands lieux musicaux parisiens. On y vient pour écouter les dernières nouveautés musicales en rock et en électro. La nuit la musique *live* se mêle au plaisir du *dancefloor* pour des soirées très *groovy* dans un décor futuriste.

Batofar

Face au 11, quai François-Mauriac, 75013 (HP par E4)
M° Quai-de-la-Gare
☎ **01 53 60 17 30**
www.batofar.org
Rés. : FNAC et Batofar.

Une ambiance underground dans ce bateau-phare irlandais de 45 m de long, peint en rouge vif. Plusieurs bars, *dancefloors* et même des salles d'exposition dédiées à la vie culturelle des grandes villes européennes. Chaque mois des concerts qui offrent un vaste panorama des musiques alternatives. Le Batofar soutient les musiques émergentes et les arts numériques.

CABARETS ET REVUES

• **Le Crazy Horse :** 12, av. George-V, 75008 (A2), M° Alma-Marceau, ☎ 01 47 23 32 32, t. l. j. deux spectacles à 20h30 et 23h. Sam. trois spectacles : 19h30, 21h45 et 23h50.
• **Le Lido :** 116 bis, av. des Champs-Élysées, 75008 (A2), M° George-V, ☎ 01 40 76 56 10, www.lido.fr. Dîner-spectacle à partir de 19h30. Spectacles à 21h30 ou 23h30.
• **Le Moulin Rouge :** 82, bd de Clichy, 75018 (C1), M° Blanche, ☎ 01 53 09 82 82, www.moulin-rouge.com. Revue à 21h et à 23h.
• **Michou :** 80, rue des Martyrs, 75018 (C1), M° Pigalle, ☎ 01 46 06 16 04. Dîner-spectacle de transformistes à 20h30.

1 - L'Ice Kube
2 - La Maroquinerie
3 - Le Divan du Monde
4 - La Guinguette Pirate

Les boîtes de nuit

Le Queen

102, av. des Champs-
Élysées, 75008 (A2)
M° George-V
☎ 0 892 707 330
www.queen.fr
Lun., mer.-jeu. 23h-aube ;
mar., ven.-dim. minuit-aube
Accès payant.

La boîte la plus courue de la
capitale même si elle est théo-
riquement réservée aux gays,
ce qui est de moins en moins
vrai. Le vendredi et samedi soirée Made in Queen avec des Djs
internationaux. Tous les lundis
soirée Disco Queen, le mercredi
soirée Lady's Night gratuite pour
ces dames, jeudi In Queen we
dance, soirée house, et le dimanche la fameuse soirée Over
Kitsch avec des tubes des années
1980 et 90 !

Le Balajo

9, rue de Lappe, 75011 (E3)
M° Bastille
☎ 01 47 00 07 87
www.balajo.fr
Mar. 22h-4h, mer. 21h-2h,
jeu. 19h-4h30, ven.-sam.
23h-5h30, entrée 10 € mar.-
jeu., 20 € le w.-e.

Style « passez la monnaie », le
Balajo a fêté ses 70 ans en 2006.
Soirée rock et salsa le mercredi,
salsa le jeudi, disco le vendredi
et le samedi.

Le Rex Club

5, bd Poissonnière, 75002
(D2)
M° Bonne-Nouvelle
☎ 01 42 36 10 96
www.rexclub.com
Mer.-jeu. 23h30-6h, ven.-sam.
minuit-6h, entrée de 5 à 13 €.

Cette salle toute en longueur où
l'on jouait autrefois du jazz et
des concerts rock est agrémentée
de deux bars et d'une cabine DJ.
Depuis 18 ans, le Rex Club organise des soirées rien qu'au son
de la musique électro. Techno,
break beat, d'n'b (drum and
bass), groove, hip hop…

Le VIP Room

78, av. des Champs-Élysées,
75008 (A2)
M° George-V
☎ 01 56 69 16 66
www.viproom.fr
Mar.-dim. minuit-6h.
Consommation à partir
de 15 €.

Déco moderne, des tons de noir
avec des lumières changeantes,
un mur d'eau, des murs d'images de 6 mètres par 3, voici le
cadre du VIP Room. Hip-hop
et rock, la musique est surtout
dansante. Attention l'entrée est
gratuite, mais la direction se ré-
serve le droit d'admission, look
trendy recommandé.

Nouvelle édition entièrement revue et corrigée par Alix Delalande.
Édition originale : Catherine Synave et Betty der Andreassian.
Ont également collaboré à cette édition : Aurélie Joiris-Blanchard, Jean-Pierre Marenghi

Cartographie : Frédéric Clémençon et Aurélie Huot
Couverture : Thibault Reumaux
Mise en pages intérieur : Chrystel Arnould

Écrivez-nous :
Aussi soigneusement qu'il ait été établi, ce guide n'est pas à l'abri des changements de dernière heure, des erreurs ou omissions. Ne manquez pas de nous faire part de vos remarques.
Informez-nous aussi de vos découvertes personnelles, nous accordons la plus grande importance au courrier de nos lecteurs :
Guides Un grand week-end, Hachette Tourisme, 43 quai de Grenelle – 75905 Paris Cedex 15
E-mail : weekend@hachette-livre.fr

Contact partenariats et publicité :
André Magniez, amagniez@hachette-livre.fr ☎ 01 43 92 32 53

Crédit Photographique

Intérieur
Toutes les photographies sont de **Jérôme Plon**, à l'exception de celles des pages suivantes :
Éric Guillot : p. 35 (ht), p. 39 (b.), 78 (c.), 123 (ht).
Nicolas Edwige : p. 36, p. 38, 45 (c.), 56, 61 (b.), 64, 100 (ht d.), 101 (b.), 112 (ht d.), 134 (ht).

Nous adressons tous nos remerciements à tous les établissements suivants pour leur aide précieuse :
Vuitton : p. 8 (ht g.), 23 (ht g.), p. 25 (c.). © **Orop (Le Procope) :** p. 17 (ht). **Lenôtre :** p. 18 (ht g.). **Fauchon :** p 19 (c.). **Christian Louboutin :** p. 22 (ht g.). © **Christian Lacroix :** p. 22 (ht d., b.), p. 23 (c.). **Hermès/**© **Frédéric Dumas :** p. 24 (ht g.), p. 39 (ht g.). © **Succession Picasso 2006/Jérôme Plon :** *La Chèvre,* p. 81 ht : *Buste de femme,* p. 81 c. c. **Guerlain :** p. 24 (ht d.), 98 (ht g.). **Lancôme :** p. 24 (b.), p. 25 (ht). **Shiseido :** p. 42. **Café Beaubourg :** p. 47 (b.) **Goyard :** p. 98 (ht d.). © **Socrepa :** p. 98 (b.). **Cadolle :** p. 99. **Chantal Thomass :** p. 102 (ht). **Frédéric Malle :** p. 103 (c.). **Fifi Chachnil/**© **Ellen von Unwerth :** p. 103 (b.). **Bain Plus :** p. 106 (b.). **Hammam Pacha :** p 110 (b.). **Les Cent Ciels :** p. 110 (ht d.), 111 (c. d.). **Les Bains du Marais :** p. 111 (c. d.). **Androüet :** p. 114 (b.). © **Florian Keinefenn/Sipa Press :** p. 133. © **Nicolas Borel :** p.134 (b.).

Photothèque Hachette : p. 70, 112 (b.).

Couverture
Jérôme Plon, à l'exception des personnages en bas à gauche © **imageshop/jupiterimages**

Quatrième de couverture
Jérôme Plon

Rabat avant
Personnages © **imageshop/jupiterimages**

Illustrations

Pascal Garnier

Imprimé en France par Ime - 25110 Baume-les-Dames
Dépôt Légal . 78066 – Novembre 2006 – Collection N°44 – Édition : 01
ISBN : 2.01.240292-5 · 24/0292/3